MW00624608

Cambodian
VOCABULARY

For Foreigners

www.khmerlesson.com

Dara Hok
Khmer Lesson Team

Cambodian

VOCABULARY – *For Foreigners*

First Edition

Copyright © 2018 by Khmer Lesson Team

ISBN-13: 978-9924-9261-3-9

<u>**Contact us:**</u>

Tel: 092 60 62 63 – 012/098 39 00 93

E-mail: sreymom.hok@gmail.com

Website: www.khmerlesson.com

Facebook: Khmer Lesson

Written by **Dara Hok**

Edited by **Sreymom Hok and Jonathan Balk**

PREFACE

Welcome to Cambodia!

If you are planning to work or live in a foreign country, it is often necessary to learn the language of that country. Even if you are just going for a visit, knowing some of the language is always helpful.

For foreigners living and working in Cambodia as well as those who are only coming to visit, our book, *Cambodian Vocabulary*, is the perfect companion to help you explore and experience Cambodia.

Our book contains an extensive vocabulary related to daily usage, words and phrases to help navigate restaurants, markets, daily activities and interactions with Cambodian people, plus much more.

No matter if you have never before studied Cambodian, Cambodian vocabulary is easy to use. All lessons include English, phonetic and Cambodian translations, and we have included youtube link to help with pronunciation also. **(https://www.youtube.com/learncambodian)**

We are confident that our book, *Cambodian Vocabulary*, will make your visit to Cambodia more enjoyable and productive. Whether you are in Cambodia for a short visit, a work assignment or a relocation we think Cambodian dialogues, will show you that learning the Cambodian language is not at all difficult.

Good luck!

Your Khmer Lesson Team,

(Service provider in tutoring Cambodian language to foreigners)

Table of contents

Personal Information
/bpoa-d'mian p'dtoal-kluan/

ពត៌មានផ្ទាល់ខ្លួន

- name   *[chmuah]*   ឈ្មោះ
- first name   *[chmuah dtii-muay]*   ឈ្មោះទីមួយ
- middle name   *[chmuah gon-daal]*   ឈ្មោះកណ្ដាល
- last name   *[chmuah jong-graoy]*   ឈ្មោះចុងក្រោយ
- surname   *[dtror-gool]*   ត្រកូល
- address   *[aa-sai-y'taan]*   អាស័យដ្ឋាន
- street   *[plow]*   ផ្លូវ
- street number   *[layk plow]*   លេខផ្លូវ
- house number   *[layk p'dteah]*   លេខផ្ទះ
- room number   *[layk bon-dtub]*   លេខបន្ទប់
- city   *[dtii-grong]*   ទីក្រុង
- province   *[kaet]*   ខេត្ត

- village   *[puum]*   ភូមិ
- commune   *[kum]*   ឃុំ
- district   *[srok]*   ស្រុក
- state   *[road]*   រដ្ឋ
- zip/area code   *[good dom-bon]*   កូដតំបន់
- phone number   *[layk dtuu-r'sab]*   លេខទូរស័ព្ទ

Q: What's your name?   *[neak chmuah ey?]*   អ្នកឈ្មោះអី?

A: My name is John.   *[k'nhom chmuah John]*   ខ្ញុំឈ្មោះចន

Family Members
/sak-maa-joek grua-saa/

សមាជិកគ្រួសារ

- wife   *[bpror-bpun]*   ប្រពន្ធ
- husband   *[pdey]*   ប្ដី
- mother   *[mak]*   ម៉ាក់
- father   *[bpaa]*   ប៉ា
- parents   *[bpaa-mak]*   ប៉ាម៉ាក់
- grandmother   *[yiay]*   យាយ
- grandfather   *[dtaa]*   តា
- daughter   *[goon-srey]*   កូនស្រី
- son   *[goon-bpros]*   កូនប្រុស
- younger brother   *[p'oon bpros]*   ប្អូនប្រុស
- younger sister   *[p'oon srey]*   ប្អូនស្រី
- older brother   *[borng bpros]*   បងប្រុស

- older sister   *[borng srey]*   បងស្រី
- grand daughter   *[jaow srey]*   ចៅស្រី
- grand son   *[jaow bpros]*   ចៅប្រុស
- aunt   *[miing]*   មីង
- uncle   *[bpuu]*   ពូ
- niece   *[kmuay-srey]*   ក្មួយស្រី
- nephew   *[kmuay-bpros]*   ក្មួយប្រុស
- cousin   *[jii-doon-muay]*   ជីដូនមួយ
- sibling   *[borng-p'oon]*   បងប្អូន
- mother-in-law   *[mak-kmayk]*   ម៉ាក់ក្មេក
- father-in-law   *[bpaa-kmayk]*   ប៉ាក្មេក
- son-in-law   *[goon-bpror-saa-bpros]*   កូនប្រសារប្រុស
- daughter-in-law   *[goon-bpror-saa-srey]*   កូនប្រសារស្រី
- brother-in-law   *[borng-p'oon-tlai-bpros]* បងប្អូនថ្លៃប្រុស
- sister-in-law   *[borng-p'oon-tlai-srey]* បងប្អូនថ្លៃស្រី
- step mother   *[mak jong]*   ម៉ាក់ចុង
- step father   *[bpaa jong]*   ប៉ាចុង

Q: How many siblings do you have?
[neak mian borng-p'oon bpon-maan neak?]
អ្នកមានបងប្អូនប៉ុន្មាននាក់?

A: I have one older sister.
[k'nhom mian borng srey muay neak]
ខ្ញុំមានបងស្រីមួយនាក់

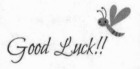

Good Luck!!

- 4 -

Daily Activities
/sak-gam-m'piap bror-jam-t'ngai/
សកម្មភាពប្រចាំថ្ងៃ

- get up   *[graok]/[ngeub]*   ក្រោក , ងើប
- take a bath   *[nguut dtoek]*   ងូតទឹក
- brush teeth   *[dos tminh]*   ដុសធ្មេញ
- shave   *[gao-bpuk-moat]*   កោរពុកមាត់
- get dressed   *[sliak-bpeak]*   ស្លៀកពាក់
- get undressed   *[doh kao-aaw]*   ដោះខោអាវ
- wash face   *[lub muk]*   លុបមុខ
- makeup   *[pat-muk]*   ផាត់មុខ
- comb hair   *[set sok]*   សិតសក់
- sleep   *[dayk]/[gayng]*   ដេក , គេង
- cook   *[tweu-m'hoob]*   ធ្វើម្ហូប
- clean   *[som-aat]*   សំអាត

- clean the house   *[som-aat p'dteah]*   សំអាតផ្ទះ
- sweep the floor   *[juut ed]*   ផ្ទតផ្ដូ
- vacuum   *[boom-tuu-lii]*   ប្ញមធូលី
- wash dishes   *[liang jaan]*   លាងចាន
- wash clothes   *[baok kao-aaw]*   បោកខោអាវ
- iron   *[ut-kao-aaw]*   អ៊ុតខោអាវ
- watch TV   *[meul dtuu-rer-dtuas]*   មើលទូរទស្សន៍
- listen to radio   *[sdab wit-t'yuk]*   ស្ដាប់វិទ្យុ
- listen to music   *[sdab playng]*   ស្ដាប់ភ្លេង
- read   *[aan]*   អាន
- play   *[layng]*   លេង
- study   *[rian]*   រៀន
- exercise   *[hat-bpraan]*   ហាត់ប្រាណ

Q: Everyday, what time do you get up?

[roal-t'ngai, neak ngeub maong bpon-maan?]

រាល់ថ្ងៃអ្នកដេីបម៉ោងប៉ុន្មាន?

A: 7 o'clock.

[maong bpram-bpii]

ម៉ោងប្រាំពីរ

Countries
/bpror-dtays/
ប្រទេស

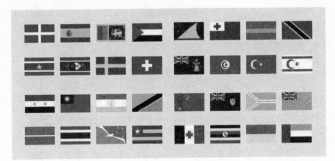

- Australia   *[oo-s'dtraa-lii]*   អូស្ត្រាលី
- Cambodia   *[gam-bpu-jia]*   កម្ពុជា
- China   *[jen]*   ចិន
- England   *[ong-lays]*   អង់គ្លេស
- France   *[baa-rang]*   បារាំង
- Germany   *[aa-leu-mong]*   អាល្លឺម៉ង់
- Indonesia   *[in-duu-nay-sii]*   ឥណ្ឌូនេស៊ី
- Japan   *[jer-bpon]*   ជប៉ុន
- Korea   *[goo-ray]*   កូរ៉ែ
- Laos   *[laaw]*   ឡាវ
- Myanmar   *[puum-mia]*   ភូមា
- Malaysia   *[maa-lay-sii]*   ម៉ាឡេស៊ី
- Russia   *[rus-sii]*   រុស្ស៊ី
- Spain   *[ay-s'bpaanh]*   អេស្ប៉ាញ

- Taiwan   *[dtai-wan]*   តៃវ៉ាន់
- Thailand   *[tai]*   ថៃ
- U.S.A   *[aa-may-rik]*   អាមេរិក
- Vietnam   *[wiat-naam]*   វៀតណាម

Q: Where're you from?   *[neak merk bpii-naa?]*
អ្នកមកពីណា?

A: I'm from Cambodia.   *[k'nhom merk bpii gam-bpu-jia]*
ខ្ញុំមកពីកម្ពុជា

Good luck!

The Living Room

/bon-dtub dter-dtual-p'nhiaw/

បន្ទប់ទទួលភ្ញៀវ

• table	*[dtok]*	តុ
• rug	*[bprum]*	ព្រំ
• floor	*[gom-raal]*	កំរាល
• chair	*[gaow-ey]*	កៅអី
• lamp	*[jong-giang]*	ចង្កៀង
• window	*[bong-uaj]*	បង្អួច
• door	*[twia]*	ទ្វារ
• curtains	*[weang-nern]*	វាំងនន
• sofa	*[saa-long]*	សាឡុង
• pillow	*[knaeuy]*	ខ្នើយ
• ceiling	*[bpi-daan]*	ពិដាន
• wall	*[junh-jeang]*	ជញ្ជាំង

- television   *[dtuu-rer-dtuas]*   ទូរទស្សន៍
- speaker   *[oo-bpaa-ler]*   អូប៉ាល័រ
- painting   *[gum-nuu]*   គំនូរ
- frame   *[sum]*   ស៊ុម
- photograph   *[ruub-tort]*   រូបថត
- bookcase   *[dtuu-siaw-pouw]*   ទូសៀវភៅ

The Dining Room
/bon-dtub nham-baay/

បន្ទប់ញ៉ាំបាយ

• table	*[dtok]*	តុ
• chair	*[gaow-ey]*	កៅអី
• cabinet	*[dtuu]*	ទូ
• bowl	*[jaan-goom]*	ចានគោម
• plate	*[jaan-dtiab]*	ចានទាប
• dish	*[jaan]*	ចាន
• tablecloth	*[gom-raal-dtok]*	កំរាលតុ
• candle	*[dtian]*	ទៀន
• candlestick	*[jeung-dtian]*	ជើងទៀន
• teapot	*[bpan-dtae]*	ប៉ាន់តែ
• cup	*[bpaeing]*	ពែង

- glass   *[gaew]*   កែវ
- saucer   *[dtrer-noab-gaew]*   ទ្រនាប់កែវ
- napkin   *[gon-saeng-juut-moat]*   កន្សែងជូតមាត់
- spoon   *[slaab-bpria]*   ស្លាបព្រា
- fork   *[sorm]*   សម
- chopsticks   *[jong-goeh]*   ចង្កឹះ
- knife   *[goon-gam-bet]*   កូនកាំបិត

The Bedroom
/bon-dtub-dayk/
បន្ទប់ដេក

- bed — *[graei]* — គ្រែ
- pillow — *[knaeuy]* — ខ្នើយ
- pillowcase — *[sraom-knaeuy]* — ស្រោមខ្នើយ
- blanket — *[puay]* — ភួយ
- alarm clock — *[nia-le-gaa-roo]* — នាឡិការោទ៍
- mirrow — *[ganh-jok]* — កញ្ចក់
- box — *[bpror-ob]* — ប្រអប់
- jewelry — *[groeung-a-lang-gaa]* — គ្រឿងអលង្ការ
- dresser — *[dtok-som-aang]* — តុសំអាង
- drawer — *[tort-dtok]* — ថតតុ
- mattress — *[bpuuk]* — ពូក

GOOD LUCK!

The Kitchen
/p'dteah-baay/

ផ្ទះបាយ

- sink   *[tung-liang-jaan]*   ធុងលាងចាន
- sponge   *[ay-bpong]*   អេប៉ុង
- pot scrubber   *[bpror-dab-dos-chnang]*   ប្រដាប់ដុសឆ្នាំង
- dish rack   *[riaw-jaan]*   រវចាន
- dish towel   *[gror-nat-juut-jaan]*   ក្រណាត់ជូតចាន
- trash   *[som-raam]*   សំរាម
- trash compactor   *[tung-som-raam]*   ធុងសំរាម
- cutting board   *[jrunh]*   ជ្រុញ
- canister   *[gom-bpong]*   កំប៉ុង
- stove   *[jong-graan]*   ចង្ក្រាន
- oven   *[lor]*   ឡ
- refrigerator   *[dtuu-dtoek-gork]*   ទូទឹកកក

- ice tray   *[taas dtoek-gork]*   ថាសទឹកកក
- placemat   *[gom-raal-dtroab]*   កំរាលទ្រាប់
- pot   *[chnang]*   ឆ្នាំង
- pan   *[k'dteah]*   ខ្ទះ
- cover   *[gum-rerb]*   គំរប
- kettle   *[gom-siaw]*   កំសៀវ
- coffeemaker   *[maa-siin-chong-gaa-fay]*   ម៉ាស៊ីនឆុងកាហ្វេ
- roaster   *[chnang-dot-saj]*   ឆ្នាំងដុតសាច់
- ladle   *[waeik]*   វែក
- strainer   *[dom-rorng]*   តំរង
- grater   *[maa-siin-gaos]*   ម៉ាស៊ីនកោស
- knife   *[goon-gam-bet]*   កូនកាំបិត
- blender   *[maa-siin-gror-lok]*   ម៉ាស៊ីនក្រឡុក

The Baby's Room
/bon-dtub dtia-ruak/
បន្ទប់ទារក

- teddy bear   *[klaa-kmum som-ley]*   ខ្លាឃ្មុំសំឡី
- crib   *[graei-dtia-ruak]*   គ្រែទារក
- toy   *[bror-dab-kmayng-layng]*   ប្រដាប់ក្មេងលេង
- doll   *[dtok-g'dtaa]*   តុក្កតា
- swing   *[dtoong]*   ទោង
- rattle   *[jong-grorng]*   ចង្រ្កង
- stroller   *[rer-dteh-runh]*   រទេះរុញ
- powder   *[m'saow]*   ម្សៅ
- milk   *[dtoek-doh-goo]*   ទឹកដោះគោ
- shampoo   *[saa-buu-gok-sok]*   សាប៊ូកក់សក់
- bottle   *[dorb]*   ដប
- nipple   *[kbaal-doh]*   ក្បាលដោះ

- pacifier   *[kbaal-doh]*   ក្បាលដោះ
- diapers   *[gon-dterb]*   កន្ទប
- cotton   *[som-ley]*   សំឡី
- ointment   *[bprayng-rit]*   ប្រេងរិត
- lotion   *[bprayng-gror-oob]*   ប្រេងក្រអូប

Good Luck !

The Bathroom
/bon-dtub-dtoek/
បន្ទប់ទឹក

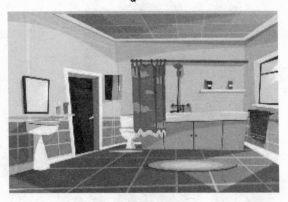

- plunger   *[bror-dab-boom]*   ប្រដាប់បូម
- toilet   *[bong-gun]*   បង្គន់
- tank   *[tung-dtoek]*   ធុងទឹក
- toilet paper   *[gror-das-a-naa-mai]*   ក្រដាសអនាម័យ
- brush   *[jras]*   ច្រាស
- towel   *[gon-saeng]*   កន្សែង
- shelf   *[tneu]*   ធ្នើ
- fan   *[gong-haa]*   កង្ហារ
- hair dryer   *[maa-siin-plom sok]*   ម៉ាស៊ីនផ្លុំសក់
- scale   *[junh-jiing]*   ជញ្ជីង
- mirror   *[ganh-jok]*   កញ្ចក់
- cabinet   *[dtuu]*   ទូ

- rack   *[snua]*   ស្នួរ
- toothbrush   *[jras-dos-tminh]*   ច្រាសដុសធ្មេញ
- toothpaste   *[tnam-dos-tminh]*   ថ្នាំដុសធ្មេញ
- soap   *[saa-buu-dos-kluan]*   សាប៊ូដុសខ្លួន
- shampoo   *[saa-buu-gok-sok]*   សាប៊ូកក់សក់
- soap dish   *[jaan saa-buu]*   ចានសាប៊ូ
- soap dispenser   *[gom-bpong saa-buu]*   កំប៉ុងសាប៊ូ
- shower   *[dtoek-pgaa-chuuk]*   ទឹកផ្កាឈូក
- bathtub   *[aang-nguut-dtoek]*   អាងងូតទឹក
- wastebasket   *[gon-dtrork-som-raam]*   កន្ត្រកសំរាម
- curtain   *[weang-nern]*   វាំងនន
- sponge   *[ay-bpong]*   អេប៉ុង
- bath mat   *[gom-raal-juut-jeung]*   កំរាលជូតជើង
- drain   *[run-bong-hoo-dtoek]*   រន្ធបង្ហូរទឹក
- head   *[kbaal-roo-maa-nay]*   ក្បាលរ៉ូម៉ាណេ

Care Products

/pol-lit-t'pol tae-dtoam-kluan/

ផលិតផលថែទាំខ្លួន

- toothbrush   *[jras-dos-tminh]*   ច្រាសដុសធ្មេញ
- comb   *[gras-set-sok]*   ក្រាសសិតសក់
- brush   *[jras]*   ច្រាស
- razor   *[laam]*   ឡាម
- razor blades   *[plae laam]*   ផ្លែឡាម
- shower cap   *[muak nguut-dtoek]*   មួកង្គតទឹក
- nail file   *[daek-ruus gror-jork]*   ដែករុសក្រចក
- nail clipper   *[gon-dtrai-gat gror-jork]*   កន្ត្រៃកាត់ក្រចក
- nail brush   *[jras-dos gror-jork]*   ច្រាសដុសក្រចក
- scissors   *[gon-dtrai]*   កន្ត្រៃ
- tweezers   *[dtror-biat]*   ត្របៀត
- pins   *[gon-las]*   កន្លាស់

- hair clips   *[kniab sok]*   ឃ្នៀបសក់
- barrettes   *[dong-giab]*   ដង្កៀប
- shampoo   *[saa-buu-gok-sok]*   សាប៊ូកក់សក់
- rinse   *[dtoek-k'bpul-moat]*   ទឹកខ្ពុរមាត់
- toothpaste   *[tnam-dos-tminh]*   ថ្នាំដុសធ្មេញ
- dental floss   *[ksae-som-aat tminh]*   ខ្សែសំអាតធ្មេញ
- powder   *[m'saow]*   ម្សៅ
- hand lotion   *[bprayng-liab dai]*   ប្រេងលាបដៃ
- perfume   *[dtoek-ob]*   ទឹកអប់
- nail polish   *[tnam-liab gror-jork]*   ថ្នាំលាបក្រចក
- shoe polish   *[tnam-kat sbaek-jeung]*   ថ្នាំខាត់ស្បែកជើង
- lipstick   *[graem]*   ក្រែម
- makeup   *[groeung-som-aang]*   គ្រឿងសំអាង

Good Luck

Cleaning and Laundry
/gaa-som-aat/ ning /gaa-baok-guak/

ការសំអាត និង ការបោកគក់

- broom   [om-baos]   អំបោស
- dustpan   [daek-jook]   ដែកចូក
- iron   [chnang-ut]   ឆ្នាំងអ៊ិត
- ironing board   [kdaa ut]   ក្ដារអ៊ិត
- vacuum   [maa-siin-boom-tuu-lii] ម៉ាស៊ីនបូមធូលី
- mop   [gror-nat-juut-ed]   ក្រណាត់ជូតផ្ទះ
- washer   [maa-siin-baok-kao-aaw] ម៉ាស៊ីនបោកខោអាវ
- dryer   [maa-siin-som-nguat]   ម៉ាស៊ីនសំងួត
- laundry detergent   [saa-buu baok-kao-aaw]   សាប៊ូបោកខោអាវ
- polish   [tnam-bpoo-lia]   ថ្នាំប៉ូលា

- hanger   *[bror-dab-pjua]*   ប្រដាប់ភ្ជួរ
- basket   *[gon-dtrork]*   កន្ត្រក
- bag   *[sbaong]*   ស្បោង
- sponge   *[ay-bpong]*   អេប៉ុង
- bucket/pail   *[tung-dtoek]*   ធុងទឹក
- trash can   *[tung som-raam]*   ធុងសំរាម
- clothesline   *[snua-kao-aaw]*   ស្នូរខោអាវ
- clothespins   *[dong-giab-kao-aaw]*   ដង្កៀបខោអាវ
- cleanser   *[tnam-som-aat]*   ថ្នាំសំអាត

Tools
/ub-p'gor/
នុបករណ៍

• hammer	*[nher-nhua]*	ញញួរ
• screwdriver	*[dtua-neu-wis]*	តួណ៍វីស
• wrench	*[sao]*	សោរ
• pliers	*[dong-gab]*	ដង្កាប់
• hacksaw	*[rer-naa-aa-daek]*	រណោអារដែក
• hatchet	*[bpuu-taow]*	ពូផៅ
• monkey wrench	*[maa-layt]*	ម៉ាឡេត
• saw	*[rer-naa]*	រណោ
• hand drill	*[swaan]*	ស្វាន
• brace	*[daek-kuang]*	ដែកខ្វង
• chisel	*[bpun-liak]*	ពន្លាក
• vise	*[ong-gum]*	អង្គុំ
• drill bit	*[plae-swaan]*	ផ្លែស្វាន

• level	*[gaew-tloeng]*	កែវថ្លើង
• plane	*[daek-chuus]*	ដែកឈូស
• box	*[heb]*	ហិប
• brush	*[juak]*	ជក់
• paint	*[tnam-liab]*	ថ្នាំលាប
• wire	*[ksae-luas]*	ខ្សែល្វស
• nail	*[daek-gool]*	ដែកគោល
• screw	*[wiis]*	វីស
• bolt	*[buu-long]*	ប៊ូឡុង
• nut	*[kjaow]*	ខ្ចៅ
• washer	*[gas]*	កាស
• sandpaper	*[gror-das-kat]*	ក្រដាសខាត់
• lawnmower	*[maa-siin-gat-smaow]*	ម៉ាស៊ីនកាត់ស្មៅ
• hose	*[dtuy-yoo]*	ទុយយោ
• nozzle	*[kbaal-dtuy-yoo]*	ក្បាលទុយយោ
• wheelbarrow	*[rer-dteh-runh]*	រទេះរុញ
• rake	*[rer-noas]*	រនាស់
• hoe	*[jorb-gab]*	ចបកាប់
• shovel	*[bpael]*	ប៉ែល
• glove	*[sraom-dai]*	ស្រោមដៃ
• flashlight	*[bpil]*	ពិល
• step ladder	*[jun-daeu]*	ជណ្ដើរ
• yardstick	*[maet-cheu]*	ម៉ែត្រឈើ
• mousetrape	*[ong-gub-gon-dol]*	អង្គុបកណ្ដុរ

- fuse   *[fuy-ziib]*   ហ៊្វយហ្ប៉ុប
- battery   *[aa-guy]*   អាគុយ
- battery   *[tmor-bpil]*   ថ្មពិល
- tape   *[sgot]*   ស្កុត
- oil   *[bprayng]*   ប្រេង
- glue   *[gaaw]*   កាវ
- extension cord   *[ksae-pleung]*   ខ្សែភ្លើង

Numbers
/layk/

លេខ

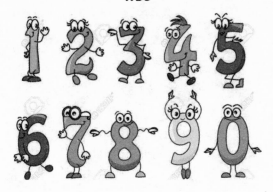

0	*[soon]*	សូន្យ	០
1	*[muay]*	មួយ	១
2	*[bpii]*	ពីរ	២
3	*[bey]*	បី	៣
4	*[buan]*	បួន	៤
5	*[bpram]*	ប្រាំ	៥
6	*[bpram-muay]*	ប្រាំមួយ	៦
7	*[bpram-bpii]*	ប្រាំពីរ	៧
8	*[bpram-bey]*	ប្រាំបី	៨
9	*[bpram-buan]*	ប្រាំបួន	៩
10	*[dob]*	ដប់	១០
11	*[dob-muay]*	ដប់មួយ	១១
12	*[dob-bpii]*	ដប់ពីរ	២

20	[m'pei]	ម្ភៃ	២០
21	[m'pei-muay]	ម្ភៃមួយ	២១
22	[m'pei-bpii]	ម្ភៃពីរ	២២
30	[saam (seb)]	សាម (សិប)	៣០
40	[sae (seb)]	សែ (សិប)	៤០
50	[haa (seb)]	ហា (សិប)	៥០
60	[hok (seb)]	ហុក (សិប)	៦០
70	[jet (seb)]	ចិត (សិប)	៧០
80	[bpaet (seb)]	ប៉ែត (សិប)	៨០
90	[gaow (seb)]	កៅ (សិប)	៩០
100	[muay-roy]	មួយរយ	១០០
200	[bpii-roy]	ពីររយ	២០០
300	[bey-roy]	បីរយ	៣០០
1,000	[muay-bpoan]	មួយពាន់	១,០០០
10,000	[muay-meun]	មួយម៉ឺន	១០,០០០
100,000	[muay-saen]	មួយសែន	១០០,០០០
1,000,000	[muay-lian]	មួយលាន	១០០០,០០០

ORDINAL NUMBER: (just put a word [dtii] before the number)

- first   [dtii-muay]   ទីមួយ
- second   [dtii-bpii]   ទីពីរ
- third   [dtii-bey]   ទីបី
- fourth   [dtii-buan]   ទីបួន
- tenth   [dtii-dob]   ទីដប់

GO FOR IT !

GOOD LUCK !

Day
/t'ngai/
ថ្ងៃ

- Monday   *[t'ngai-jan]*   ថ្ងៃចន្ទ
- Tuesday   *[t'ngai-ong-gia]*   ថ្ងៃអង្គារ
- Wednesday   *[t'ngai-bput]*   ថ្ងៃពុធ
- Thursday   *[t'ngai-bprer-hoas]*   ថ្ងៃព្រហស្បតិ៍
- Friday   *[t'ngai-sok]*   ថ្ងៃសុក្រ
- Saturday   *[t'ngai-saow]*   ថ្ងៃសៅរ៍
- Sunday   *[t'ngai-aa-dtit]*   ថ្ងៃអាទិត្យ
- today   *[t'ngai-nih]*   ថ្ងៃនេះ
- tomorrow   *[t'ngai-s'aek]*   ថ្ងៃស្អែក
- day after tomorrow   *[t'ngai-kaan-s'aek]*   ថ្ងៃខានស្អែក
- yesterday   *[t'ngai-m'sel-minh]*   ថ្ងៃម្សិលមិញ
- day before yesterday   *[t'ngai-m'sel-m'ngai]*   ថ្ងៃម្សិលម្ងៃ

- 2 days ago   *[bpii t'ngai mun]*   ពីរថ្ងៃមុន
- In 2 days   *[bpii t'ngai dtiat]*   ពីរថ្ងៃទៀត
- everyday   *[roal-t'ngai]*   រាល់ថ្ងៃ
- week   *[aa-dtit]/[sab-p'daa]*   អាទិត្យ / សប្តាហ៍
- month   *[kae]*   ខែ
- year   *[chnam]*   ឆ្នាំ
- next month   *[kae graoy]*   ខែក្រោយ
- last year   *[chnam mun]*   ឆ្នាំមុន
- this week   *[aa-dtit nih]*   អាទិត្យនេះ

Q: What day is today?   *[t'ngai-nih t'ngai ey?]*   ថ្ងៃនេះថ្ងៃអី?
A: Today is Friday.   *[t'ngai-nih t'ngai-sok]*   ថ្ងៃនេះថ្ងៃសុក្រ

Month
/kae/
ខែ

- January   *[kae-mak-g'raa]*   ខែមករា
- February   *[kae-gom-peak]*   ខែកុម្ភៈ
- March   *[kae-mi-nia]*   ខែមិនា
- April   *[kae-may-saa]*   ខែមេសា
- May   *[kae-uk-s'pia]*   ខែឧសភា
- June   *[kae-mi-to-naa]*   ខែមិថុនា
- July   *[kae-gak-g'daa]*   ខែកក្កដា
- August   *[kae-sey-haa]*   ខែសីហា
- September   *[kae-ganh-nhaa]*   ខែកញ្ញា
- October   *[kae-dto-laa]*   ខែតុលា
- November   *[kae-wi-che-gaa]*   ខែវិច្ឆិកា
- December   *[kae-tnuu]*   ខែធ្នូ

Note:

For name of months, you don't worry to remember all of them because you can use number instead.

So you can say:

i.e. January   =   month 1   *[kae-muay]*   ខែមួយ

February   =   month 2   *[kae-bpii]*   ខែពីរ

December   =   month 12   *[kae-dob-bpii]*   ខែដប់ពីរ

Places
/gon-laeng/
កន្លែង

- store/shop   *[haang]*   ហាង
- bank   *[ter-nia-gia]*   ធនាគារ
- barber shop   *[haang gat-sok]*   ហាងកាត់សក់
- book store   *[bon-naa-gia]*   បណ្ណាគារ
- bakery   *[haang-num-bpang]*   ហាងនំប៉័ង
- bus station   *[staan-nii laan-grong]*   ស្ថានីយ៍ឡានក្រុង
- coffee shop   *[haang gaa-fay]*   ហាងកាហ្វេ
- clothes shop   *[haang kao-aaw]*   ហាងខោអាវ
- clinic   *[klii-nik]*   គ្លីនិក
- hospital   *[mun-dtii-bpaeit]*   មន្ទីរពេទ្យ
- market   *[psaa]*   ផ្សារ
- company   *[grom-hun]*   ក្រុមហ៊ុន

- school   *[saa-laa-rian]*   សាលារៀន
- university   *[mer-haa-wi-t'yia-lai]*   មហាវិទ្យាល័យ
- organization   *[ong-gaa]*   អង្គការ
- office   *[gaa-ri-yaa-lai]*   ការិយាល័យ
- pharmacy   *[ao-sot-staan]*   ឱសថស្ថាន
- hair salon   *[haang ut-sok]*   ហាងអ៊ិតសក់
- club   *[kloeb]*   ក្លឹប
- center   *[maj-cheak-mun-dul]*   មជ្ឈមណ្ឌល
- gym   *[gon-laeng-hat-bpraan]*   កន្លែងហាត់ប្រាណ
- station   *[staan-nii]*   ស្ថានីយ៍
- oil station   *[staan-nii bprayng]*   ស្ថានីយ៍ប្រេង
- flower shop   *[haang pgaa]*   ហាងផ្កា
- hall   *[saal]*   សាល
- ministry   *[gror-suang]*   ក្រសួង
- institute   *[wi-t'yia-staan]*   វិទ្យាស្ថាន
- institution   *[staa-ban]*   ស្ថាប័ន
- museum   *[saa-rak-mun-dtii]*   សារៈមន្ទីរ
- royal palace   *[riaj-j'weang]*   រាជវាំង
- garden/park   *[suan-chbaa]*   សួនច្បារ
- hotel   *[son-taa-gia]*   សណ្ឋាគារ
- guest house   *[p'dteah-som-nak]*   ផ្ទះសំណាក់
- restaurant   *[poo-j'nii-y'taan]*   ភោជនីយដ្ឋាន
- embassy   *[staan-dtuut]*   ស្ថានទូត
- airport   *[bprer-lian-yun-hoh]*   ព្រលានយន្តហោះ

- post office   *[bprey-s'nii]*   ប្រៃសណីយ៍
- cinema   *[roong-gon]*   រោងកុន
- library   *[bon-naa-lai]*   បណ្ណាល័យ
- night club   *[reang-g'saal]*   រង្គសាល
- supermarket   *[psaa-dtum-neub]*   ផ្សារទំនើប
- zoo   *[suan-sat]*   សួនសត្វ
- mall   *[dtii-tlia]*   ទីផ្លា

Opposite Words
/bpiak p'dtuy/
ពាក្យផ្ទុយ

- tall-short   [k'bpuas]-[dtiab]   ខ្ពស់-ទាប
- long-short   [waeing]-[kley]   វែង-ខ្លី
- big-small   [tum]-[dtooj]   ធំ-តូច
- high-low   [k'bpuas]-[dtiab]   ខ្ពស់-ទាប
- fat-thin   [toat]-[sgerm]   ធាត់-ស្គម
- heavy-light   [t'ngun]-[sraal]   ធ្ងន់-ស្រាល
- loose-tight   [tuu]-[dtoeng]   ធូរ-តឹង
- fast-slow   [loeun]-[yeut]   លឿន-យឺត
- straight-crooked   [dtrong]-[wiaj]   ត្រង់-វៀច
- straight-curly   [dtrong]-[ruanh]   ត្រង់-រួញ
- wide-narrow   [dtuu-liay]-[jong-iat]   ទូលាយ-ចង្អៀត
- thick-thin   [gras]-[sdaeung]   ក្រាស់-ស្ដើង
- dark-light   [nger-ngoet]-[pleu]   ងងឹត-ភ្លឺ
- new-old   [tmey]-[jas]   ថ្មី-ចាស់

- young-old · *[kmayng]-[jas]* · ក្មេង-ចាស់
- good-bad · *[l'or]-[aa-grok]* · ល្អ-អាក្រក់
- hot-cold · *[kdaow]-[dtror-jeak]* · ក្ដៅ-ត្រជាក់
- soft-hard · *[dtun]-[roeng]* · ទន់-រឹង
- easy-difficult · *[srual]-[bpi-baak]* · ស្រួល-ពិបាក
- smooth-rough · *[rer-loong]-[greum]* · រលោង-គ្រើម
- clean-dirty · *[s'aat]-[gor-kwok]* · ស្អាត-កខ្វក់
- noisy-quiet · *[uu-or]-[s'ngat]* · អ៊ូអរ-ស្ងាត់
- married-single · *[riab-gaa]-[nouw-liiw]* · រៀបការ-នៅលីវ
- rich-poor · *[mian]-[gror]* · មាន-ក្រ
- pretty-ugly · *[s'aat]-[aa-grok]* · ស្អាត-អាក្រក់
- handsome-ugly · *[song-haa]-[aa-grok]* · សង្ហា-អាក្រក់
- wet-dry · *[saeum]-[s'nguat]* · សើម-ស្ងួត
- full-empty · *[bpinh]-[dter-dtay]* · ពេញ-ទទេ
- sharp-dull · *[mut]-[roel]* · មុត-រិល
- sharp-dull · *[pleu]-[sror-ab]* · ភ្លឺ-ស្រអប់
- expensive-cheap · *[tlai]-[taok]* · ថ្លៃ-ថោក
- fancy-plain · *[heu-haa]-[saa-manh]* · ហ៊ឺហា-សាមញ្ញ

Emotions
/aa-rom/
អារម្មណ៍

- tired   *[noeuy-hot]*   នឿយហត់
- sleepy   *[nger-nguy-dayk]*   ងងុយដេក
- exhausted   *[os-gom-lang]*   អស់កំលាំង
- hot   *[kdaow]*   ក្តៅ
- cold   *[dtror-jeak]*   ត្រជាក់
- hungry   *[klian]*   ឃ្លាន
- full   *[ch'aet]*   ឆ្អែត
- thirsty   *[srayk-dtoek]*   ស្រេកទឹក
- sick/ill   *[cheu]*   ឈឺ
- happy   *[sab-baay]*   សប្បាយ
- sad   *[bpi-baak-jet]*   ពិបាកចិត្ត
- disappointed *[kork-jet]*   ខកចិត្ត
- annoyed   *[mua-maow]*   ម៉ូម៉ៅ

- angry   *[koeng]*   ខឹង
- shock   *[run-tut]*   រន្ធត់
- surprised   *[p'nheak-p'aeul]*   ភ្ញាក់ផ្អើល
- disgusted   *[k'bpeum]*   ខ្ពើម
- worried   *[bpruay-baa-rom]*   ព្រួយបារម្ភ
- afraid/scared   *[klaaj]*   ខ្លាច
- bored   *[tunh]*   ធុញ
- ashamed   *[ian]*   អៀន
- embarrassed   *[bak-muk]*   បាក់មុខ
- jealous   *[bror-jan]*   ប្រច័ណ្ឌ
- confused   *[jror-book-jror-bol]*   ច្របូកច្របល់

Q: How do you feel today?
[neak mian aa-rom mej-dae t'ngai-nih?]
អ្នកមានអារម្មណ៍ម៉េចដែរថ្ងៃនេះ?

A: I'm so exhausted.
[k'nhom os-gom-lang nas]
ខ្ញុំអស់កំលាំងណាស់

- 39 -

Fruits

/plae-cheu/

ផ្លែឈើ

- jackfruit   *[plae knol]*   ផ្លែខ្នុរ
- lime   *[plae grooj-chmaa]*   ផ្លែក្រូចឆ្មា
- tangerine   *[plae grooj-kwij]*   ផ្លែក្រូចឃ្វិច
- pomelo   *[plae grooj-tlong]*   ផ្លែក្រូចថ្លុង
- orange   *[plae grooj]*   ផ្លែក្រូច
- lychee   *[plae guu-laein]*   ផ្លែគូលែន
- banana   *[plae jayk]*   ផ្លែចេក
- coconut   *[plae doong]*   ផ្លែដូង
- guava   *[plae dtror-baek]*   ផ្លែត្របែក
- pomegranate   *[plae gon-dtoem]*   ផ្លែកន្ទឹម
- persimmon   *[plae dtun-loab]*   ផ្លែទន្លាប់
- milk fruit   *[plae dtoek-doh-goo]*   ផ្លែទឹកដោះគោ
- durian   *[plae tu-rayn]*   ផ្លែធុរេន

- custard apple   *[plae dtiab]*   ផ្លែទៀប
- soursop   *[plae dtiab-baa-rang]*   ផ្លែទៀបបារាំង
- grape   *[plae dtum-bpeang-baay-juu]*   ផ្លែទំពាំងបាយជូ
- sapodilla   *[plae l'mut]*   ផ្លែល្មុត
- papaya   *[plae l'hong]*   ផ្លែល្ហុង
- mangosteen   *[plae mung-kut]*   ផ្លែមង្ឃុត
- longan   *[plae mian]*   ផ្លែមៀន
- pineapple   *[plae m'noas]*   ផ្លែម្នាស់
- rambutan   *[plae saaw-maaw]*   ផ្លែសាវម៉ាវ
- dragon fruit   *[plae sror-gaa-niak]*   ផ្លែស្រកានាគ
- mango   *[plae swaay]*   ផ្លែស្វាយ
- cashew   *[plae swaay-jan-dtii]*   ផ្លែស្វាយចន្ទី
- avocado   *[plae ber]*   ផ្លែបឺរ
- watermelon   *[plae ow-loek]*   ផ្លែឪឡឹក
- melon   *[plae dtror-sok-srow]*   ផ្លែត្រសក់ស្រូវ
- pear   *[plae saa-rii]*   ផ្លែសារី
- apple   *[plae bpaom]*   ផ្លែប៉ោម

Q: What's your favorite fruits?
[neak jool-jet plae-cheu ey jiang-gay?]
អ្នកចូលចិត្តផ្លែឈើអីជាងគេ?

A: Apple and banana.
[plae bpaom ning plae jayk]
ផ្លែប៉ោម និង ផ្លែចេក

- 41 -

Vegetables
/bon-lae/

បន្លែ

- cucumber   *[dtror-sok]*   ត្រសក់
- chili   *[m'dtays]*   ម្ទេស
- okra   *[son-daek-baa-rang]*   សណ្ដែកបារាំង
- tomato   *[bpayng-bpoh]*   ប៉េងប៉ោះ
- taro   *[dtraaw]*   ត្រាវ
- carrot   *[gaa-rot]*   ការ៉ុត
- onion   *[k'dtoem-baa-rang]*   ខ្ទឹមបារាំង
- bok choy   *[s'bpei-dtoeu]*   ស្ពៃតឿ
- potato   *[dom-loong-baa-rang]*   ដំឡូងបារាំង
- cabbage   *[s'bpei-kdaob]*   ស្ពៃក្ដោប
- eggplant   *[dtrob-waeing]*   ត្រប់វែង
- corn   *[bpoot]*   ពោត
- radish   *[chai-taaw]*   ឆៃថាវ
- morning glory   *[dtror-guan]*   ត្រកួន

- winter melon   *[dtror-laaj]*   ត្រឡាច
- bamboo shoot   *[dtum-bpeang]*   ទំពាំង
- spinach   *[p'dtii]*   ផ្ទី
- mushroom   *[p'set]*   ផ្សិត
- bitter melon   *[m'reah]*   ម្រះ
- rice paddy herb   *[m'orm]*   ម្អម
- pumpkin   *[l'bpouw]*   ល្ពៅ
- bean   *[son-daek]*   សណ្ដែក
- holy basil   *[m'reah-bprouw]*   ម្រះព្រៅ
- long bean   *[son-daek-gua]*   សណ្ដែកគួរ
- peanut   *[son-daek-dey]*   សណ្ដែកដី
- bean sprout   *[son-daek-bon-doh]*   សណ្ដែកបណ្ដុះ
- lettuce   *[saa-lad]*   សាឡាដ
- lemon grass   *[sloek-grei]*   ស្លឹកគ្រៃ
- mint   *[jii-ong-gaam]*   ជីអង្កាម
- garlic   *[k'dtoem-sor]*   ខ្ទឹមស
- sweet potato   *[dom-loong-chwia]*   ដំឡូងផ្អា

Q: Do you like vegetables?
[neak jool-jet bon-lae dtay?]
អ្នកចូលចិត្តបន្លែទេ?

A: Yes, I like it so much.
[baat/jaas, k'nhom jool-jet wia nas]
បាទ/ចាស ខ្ញុំចូលចិត្តវាណាស់

- Yes   *[baat]*   បាទ   (for male)

- Yes   *[jaas]*   ចាស   (for female)

Meat
/saj/

សាច់

- beef   *[saj-goo]*   សាច់គោ
- pork   *[saj-jruuk]*   សាច់ជ្រូក
- fish   *[saj-dtrey]*   សាច់ត្រី
- chicken   *[saj-moan]*   សាច់មាន់
- drumsticks   *[plouw-moan]*   ភ្លៅមាន់
- chicken legs   *[jeung moan]*   ជើងមាន់
- chicken breasts   *[dtruung moan]*   ទ្រូងមាន់
- chicken wings   *[slaab moan]*   ស្លាបមាន់
- duck   *[saj-dtia]*   សាច់ទា
- sausage   *[saj-grork]*   សាច់ក្រក
- ribs   *[ch'oeng-jum-nii]*   ឆ្អឹងជំនីរ
- roast   *[saj-kwai]*   សាច់ខៃ

- roast beef   *[saj-goo ang]*   សាច់គោអាំង
- steak   *[saj-bon-dteah]*   សាច់បន្ទះ
- egg   *[sut]/[bperng]*   ស៊ុត , ពង
- chicken egg   *[bperng moan]*   ពងមាន់
- duck egg   *[bperng dtia]*   ពងទា

Q: Do you eat meat?   *[neak nham saj dtay?]*   អ្នកញ៉ាំសាច់ទេ?

A: No, I'm a vegetarian. *[ot-dtay, k'nhom buas]*   អត់ទេ ខ្ញុំបួស

Seafood
/aa-haa-s'mot/
អាហារសមុទ្រ

- crab   *[kdaam]*   ក្តាម
- squid   *[moek]*   មឹក
- lobster   *[bong-gorng]*   បង្កង
- shrimp   *[bong-gia]*   បង្គា
- shell   *[ngiaw]*   ងាវ
- oyster   *[grum]*   គ្រុំ
- scallops   *[lias-s'mot]*   លាសសមុទ្រ
- clam   *[lias]*   លាស

Q: What would you like to eat?

[neak jong nham ey?]

អ្នកចង់ញ៉ាំអី?

A: I would like fried rice with seafood.

[k'nhom som baay chaa jia-muay aa-haa-s'mot]

ខ្ញុំសុំបាយឆាជាមួយអាហារសមុទ្រ

Foods and Beverages
/aa-haa/ ning /pays-s'jeak/
អាហារ និង ភេសជ្ជ:

- milk   *[dtoek-doh-goo]*   ទឹកដោះគោ
- buttermilk   *[dtoek-doh-ber]*   ទឹកដោះបិរ
- orange juice   *[dtoek grooj]*   ទឹកក្រូច
- yogurt   *[yaa-ua]*   យ៉ាអ៊ូរ
- fruit juice   *[dtoek plae-cheu]*   ទឹកផ្លែឈើ
- soda   *[soo-daa]*   សូដា
- coffee   *[gaa-fay]*   កាហ្វេ
- tea   *[dtae]*   តែ
- ice tea   *[dtae dtoek-gork]*   តែទឹកកក
- water   *[dtoek]*   ទឹក
- cocoa   *[gaa-gaaw]*   កាកាវ
- beer   *[sraa-bia]*   ស្រាបៀរ
- wine   *[sraa]*   ស្រា
- soup   *[som-lor]*   សំលរ

- cereal   *[groab-tunh-nh'jiat]*   ត្រាប់ចញ្ជាតិ
- noodles   *[mii]*   មី
- spaghetti   *[mii-ii-dtaa-lii]*   មីអ៊ីតាលី
- rice   *[ong-gor]*   អង្ករ
- rice (cooked)   *[baay]*   បាយ
- cake   *[num]*   នំ
- bread   *[num-bpang]*   នំប៉័ង
- ice cream   *[gaa-raym]*   ការ៉ែម
- popcorn   *[bpoot-liing]*   ពោតលីង
- peanut   *[son-daek-dey]*   សណ្ដែកដី

Condiments
/groeung-p'som-ruas-jiat/
គ្រឿងផ្សំរសជាតិ

• ketchup	*[dtoek-bpayng-bpoh]*	ទឹកប៉េងប៉ោះ
• chili sauce	*[dtoek m'dtays]*	ទឹកម្ទេស
• pickles	*[jruak]*	ជ្រក់
• olives	*[bprayng-oo-liiv]*	ប្រេងអូលីវ
• salt	*[om-bel]*	អំបិល
• sugar	*[sgor]*	ស្ករ
• pepper	*[mrij]*	ម្រេច
• soy sauce	*[dtoek sii-iiw]*	ទឹកស៊ីអ៊ីវ
• fish sauce	*[dtoek dtrey]*	ទឹកត្រី
• vinegar	*[dtoek-kmeh]*	ទឹកខ្មេះ
• spice	*[groeung]*	គ្រឿង
• cooking oil	*[bprayng chaa]*	ប្រេងឆា
• M:S.G	*[bii-jayng]*	ប៊ីចេង
• flour	*[m'saow-mii]*	ម្សៅមី

- 49 -

Q: Do you need a drink?

[neak dtrow-gaa pays-s'jeak dtay?]

អ្នកត្រូវការភេសជ្ជៈទេ?

A: I would like a cup of coffee without sugar.

[k'nhom som gaa-fay ot sgor muay gaew]

ខ្ញុំសុំកាហ្វេអត់ស្ករមួយកែវ

Cooking
/gaa-tweu-m'hoob/
ការធ្វើម្ហូប

- cut   *[gat]*   កាត់

- chop   *[jenh-jram]*   ចិញ្ច្រាំ

- slide   *[jet]*   ចិត

- grate   *[gaos]*   កោស

- peel   *[bork]*   បក

- stir   *[goo]*   កូរ

- pour   *[jak]*   ចាក់

- cook   *[jom-en]*   ចំអិន

- bake   *[dot]*   ដុត

- boil   *[s'ngao]*   ស្ងោរ

- fry   *[chaa]/[jian]*   ឆា , ចៀន

- steam   *[jom-hoy]*   ចំហុយ

- grill   *[ang]*   អាំង

Q: Are you good at cooking?

[neak bpuu-gae tweu-m'hoob dtay?]

អ្នកពូកែធ្វើម្ហូបទេ?

A: Not really.

[ot-sow dtay]

អត់សូវទេ

Luck is yours. wish is mine;
May your future always shine!
Good Luck!

Colors
/bpoa/
ពណ៌

- red   *[bpoa-gror-horm]*   ពណ៌ក្រហម
- blue   *[bpoa-kiaw]*   ពណ៌ខៀវ
- green   *[bpoa-bai-dtorng]*   ពណ៌បែតង
- yellow   *[bpoa-loeung]*   ពណ៌លឿង
- orange   *[bpoa-dtoek-grooj]*   ពណ៌ទឹកក្រូច
- pink   *[bpoa-pgaa-chuuk]*   ពណ៌ផ្កាឈូក
- purple   *[bpoa-swaay]*   ពណ៌ស្វាយ
- black   *[bpoa-kmaow]*   ពណ៌ខ្មៅ
- white   *[bpoa-sor]*   ពណ៌ស
- gray   *[bpoa-bpror-peh]*   ពណ៌ប្រផេះ
- brown   *[bpoa-tnaot]*   ពណ៌ត្នោត
- golden   *[bpoa-mias]*   ពណ៌មាស
- silver   *[bpoa-bprak]*   ពណ៌ប្រាក់

Q: What color do you like?
[neak jool-jet bpoa ey?]
អ្នកចូលចិត្តពណ៌អី?

A: I like red color.
[k'nhom jool-jet bpoa gror-horm]
ខ្ញុំចូលចិត្តពណ៌ក្រហម

Clothes

/som-liak-bom-bpeak (kao-aaw)/

សំលៀកបំពាក់ (ខោអាវ)

- uniform   *[aek-son-taan]*   ឯកសណ្ឋាន
- shirt   *[aaw]*   អាវ
- long-sleeved shirt   *[aaw-dai-waeing]*   អាវដៃវែង
- short-sleeved shirt   *[aaw-dai-kley]*   អាវដៃខ្លី
- t-shirt   *[aaw-yeut]*   អាវយឺត
- tank top   *[aaw-wial-kliak]*   អាវរៀលឈ្លៀក
- sweatshirt   *[aaw-rer-ngia]*   អាវរងារ
- jacket   *[aaw-tum]*   អាវធំ
- pants   *[kao]*   ខោ
- jean   *[kao-kow-boy]*   ខោខូវបិយ
- shorts   *[kao-kley]*   ខោខ្លី
- underpants   *[kao-dtrer-noab]*   ខោទ្រនាប់
- bra   *[aaw-dtrer-noab]*   អាវទ្រនាប់
- bathrobe   *[roob-nguut-dtoek]*   រ៉ូបងូតទឹក
- raincoat   *[aaw-pliang]*   អាវភ្លៀង

- socks   [sraom-jeung]   ស្រោមជើង
- gloves   [sraom-dai]   ស្រោមដៃ
- skirt   [som-bput]   សំពត់
- tie   [gror-wat-gor]   ក្រវ៉ាត់ក
- hat   [muak]   មួក
- scarf   [gon-saeng rum-gor]   កន្សែងរុំក

Footware
/groeung-bpeak-jeung/
ត្រៀងពាក់ជើង

- shoes   *[sbaek-jeung]*   ស្បែកជើង
- shocks   *[sraom-jeung]*   ស្រោមជើង
- heels   *[sbaek-jeung gaeng]*   ស្បែកជើងកែង
- sneakers   *[sbaek-jeung-bpat-dtaa]*   ស្បែកជើងប៉ាត់តា
- sandals   *[sbaek-jeung-song-raek]*   ស្បែកជើងសង្រ្តែក
- flip-flops   *[sbaek-jeung-p'dtoat]*   ស្បែកជើងផ្ទាត់
- boots   *[sbaek-jeung-buu]*   ស្បែកជើងប៊ូ

Good luck!

Electronic Equipment
/ub-p'gor ay-lij-dtroo-nij/
នុបករណ៍អេឡិចត្រូនិច

- television   *[dtuu-rer-dtuas]*   ទូរទស្សន៍
- speaker   *[oo-bpaa-ler]*   អូប៉ាល័រ
- amplifier   *[om-plii]*   អំភ្លី
- radio   *[wit-t'yuk]*   វិទ្យុ
- tape/cassette   *[gaa-saet]*   កាសែត
- computer   *[gom-p'yuu-dter]*   កុំព្យូទ័រ
- telephone   *[dtuu-rer-sab]*   ទូរស័ព្ទ
- monitor   *[moo-nii-dter]*   ម៉ូនីទ័រ
- keyboard   *[kdaa-joj]*   ក្ដារចុច
- mouse   *[maow]*   ម៉ៅស៍
- printer   *[maa-siin-bpriin]*   ម៉ាស៊ីនព្រីន
- camera   *[maa-siin-tort-ruub]*   ម៉ាស៊ីនថតរូប

- film   *[fiil]*   ហ្វីល
- tripod   *[jeung-gam-may-raa]*   ជើងកាមេរ៉ា
- screen   *[ay-grong]*   អេក្រង់
- calculator   *[maa-siin-git-layk]*   ម៉ាស៊ីនគិតលេខ
- air conditioner   *[maa-siin-dtror-jeak]*   ម៉ាស៊ីនត្រជាក់
- refrigerator   *[dtuu-dtoek-gork]*   ទូរទឹកកក
- freezer   *[dtuu-klas-say]*   ទូរក្លាសេ

The Bank
/ter-nia-gia/
ធនាគារ

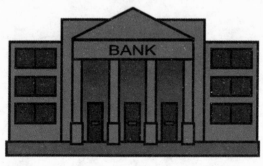

- checkbook   *[siaw-pouw-saek]*   សៀវភៅសែក
- bankbook   *[siaw-pouw-ter-nia-gia]*   សៀវភៅធនាគារ
- card   *[gaat]*   កាត
- credit card   *[gaat in-n'dtian]*   កាតឥណទាន
- withdrawal slip   *[ban dork-bprak]*   ប័ណ្ណដកប្រាក់
- deposit slip   *[ban dak-bprak]*   ប័ណ្ណដាក់ប្រាក់
- check   *[saek]*   សែក
- counter   *[banh-jer]*   បញ្ជរ
- loan   *[gom-jey]*   កំចី
- debt   *[bom-nol]*   បំណុល

The Body
/riang-gaay/
រាងកាយ

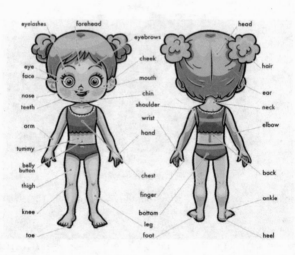

- head   *[kbaal]*   ក្បាល
- hair   *[sok]*   សក់
- forehead   *[t'ngas]*   ថ្ងាស
- face   *[muk]*   មុខ
- eye   *[pnaeik]*   ភ្នែក
- eyebrow   *[jenh-jaeum]*   ចិញ្ជើម
- eyelid   *[dtror-bork-pnaeik]*   ត្របកភ្នែក
- eyelashes   *[room-pnaeik]*   រោមភ្នែក
- iris   *[bpror-srey-pnaeik]*   ប្រស្រីភ្នែក
- ear   *[dtror-jiak]*   ត្រចៀក

- nose   *[jror-moh]*   ច្រមុះ
- cheek   *[t'bpoal]*   ថ្ពាល់
- jaw   *[t'giam]*   ថ្គាម
- mouth   *[moat]*   មាត់
- lip   *[bor-boo-moat]*   បបូរមាត់
- teeth   *[tminh]*   ធ្មេញ
- tongue   *[on-daat]*   អណ្ដាត
- chin   *[jong-gaa]*   ចង្ការ
- neck   *[gor]*   ក
- shoulder   *[smaa]*   ស្មា
- chest   *[dtruung]*   ទ្រូង
- abdomen   *[bpuah]*   ពោះ
- back   *[knorng]*   ខ្នង
- arm   *[dai]*   ដៃ
- armpit   *[kliak]*   ក្លៀក
- elbow   *[gaeng-dai]*   កែងដៃ
- waist   *[jong-geh]*   ចង្កេះ
- hip   *[dtror-giak]*   ត្រគាក
- buttock   *[guut]*   គូថ
- leg   *[jeung]*   ជើង
- thigh   *[plouw]*   ភ្លៅ
- knee   *[jung-gung]*   ជង្គង់
- calf   *[gom-puan-jeung]*   កំភួនជើង
- finger   *[m'riam-dai]*   ម្រាមដៃ

- nail   *[gror-jork]*   ក្រចក
- toe   *[m'riam-jeung]*   ម្រាមជើង
- skin   *[sbaek]*   ស្បែក
- brain   *[kua-kbaal]*   ខួរក្បាល
- throat   *[bom-bpung-gor]*   បំពង់ក
- lung   *[suat]*   សួត
- heart   *[beh-doong]*   បេះដូង
- liver   *[tlaeum]*   ថ្លើម
- stomach   *[gror-bpeah]*   ក្រពះ
- intestine   *[bpuah-wian]*   ពោះវៀន
- muscle   *[saj-dom]*   សាច់ដុំ
- bone   *[ch'oeng]*   ឆ្អឹង
- kidney   *[gror-lian]*   ក្រលៀន

Ailments & Symptoms

/gaa-cheu-jab/ ning /rook-sanh-nhaa/

ការឈឺចាប់ និង រោគសញ្ញា

• headache	*[cheu-kbaal]*	ឈឺក្បាល
• earache	*[cheu-dtror-jiak]*	ឈឺត្រចៀក
• toothache	*[cheu-tminh]*	ឈឺធ្មេញ
• stomachache	*[cheu-bpuah]*	ឈឺពោះ
• backache	*[cheu-knorng]*	ឈឺខ្នង
• sore throat	*[cheu gor]*	ឈឺក
• fever	*[grun]*	គ្រុន
• cold	*[pdas-saay]*	ផ្ដាសាយ
• cough	*[k'ork]*	ក្អក
• virus	*[wii-rus]*	វីរុស
• rash	*[rool]*	រោល
• stiff neck	*[rooy gor]*	រោយ ក

- runny nose   *[hoo-som-bao]*   ហួរសំបោរ
- bloody nose   *[chiam jror-moh]*   ឈាមច្រមុះ
- hiccups   *[t'aeuk]*   ថ្អើក
- diarrhea   *[riak]*   រាគ
- out of breath   *[hot]*   ហត់
- faint   *[son-lob]*   សន្លប់
- dizzy   *[wil-muk]*   វិលមុខ
- congested   *[dtoeng-jror-moh]*   តឹងច្រមុះ
- tired/exhausted   *[os-gom-lang]*   អស់កំលាំង
- sneeze   *[gon-das]*   កណ្ដាស់
- vomit   *[k'uat]*   ក្អួត
- burp   *[peu]*   រេី
- bleed   *[jenh-chiam]*   ចេញឈាម
- sprain   *[grij]*   គ្រេច
- scrape   *[rer-loat]*   លោត់
- bruise   *[joam]*   ជាំ
- swollen   *[haeum]*   ហើម
- itchy   *[rer-moas]*   រមាស់

Q: What's wrong with you?
[neak mian bpanh-haa ey?]
អ្នកមានបញ្ហាអី?

A: I have headache.
[k'nhom cheu-kbaal]
ខ្ញុំឈឺក្បាល

Good Luck!

- 64 -

Occupations
/muk-rer-bor/
មុខរបរ

- accountant   *[geak-n'ney-y'gor]*   គណនេយ្យករ
- barber   *[jiang-gat-sok]*   ជាងកាត់សក់
- driver   *[neak-baeuk-laan]*   អ្នកបើកឡាន
- cashier   *[bay-laa]*   បេឡា
- chief/cook   *[jong-pouw]*   ចុងភៅ
- artist   *[wi-jet-dt'gor]*   វិចិត្រករ
- cleaner   *[neak-som-aat]*   អ្នកសំអាត
- electrician   *[jiang-pleung]*   ជាងភ្លើង
- gardener   *[neak-tae-suan]*   អ្នកថែសួន
- manager   *[neak-grub-grerng]*   អ្នកគ្រប់គ្រង
- lawyer   *[may-tia-wii]*   មេធាវី
- painter   *[jiang-liab]*   ជាងលាប
- photographer   *[jiang-tort-ruub]*   ជាងថតរូប
- receptionist   *[neak-dter-dtual-p'nhiaw]*   អ្នកទទួលភ្ញៀវ

- policeman — *[bpoo-liis]* — ប៉ូលីស
- scientist — *[neak-wi-t'yia-sas]* — អ្នកវិទ្យាសាស្ត្រ
- secretary — *[lay-kaa]* — លេខា
- security — *[son-dte-sok]* — សន្តិសុខ
- guard — *[neak-yiam]* — អ្នកយាម
- salesman — *[neak-luak]* — អ្នកលក់
- teacher — *[gruu-bong-rian]* — គ្រូបង្រៀន
- taxi driver — *[neak-baeuk-dtak-sii]* — អ្នកបើកតាក់ស៊ី
- translator — *[neak-bork-brae]* — អ្នកបកប្រែ
- doctor — *[gruu-bpaeit]* — គ្រូពេទ្យ
- waiter/waitress — *[neak-bom-raeu]* — អ្នកបំរើ
- tailor — *[jiang-gat-day]* — ជាងកាត់ដេរ
- researcher — *[neak-sraaw-jriaw]* — អ្នកស្រាវជ្រាវ
- actor/actress — *[dtua-gon]* — តួកុន
- carpenter — *[jiang-cheu]* — ជាងឈើ
- worker — *[gam-m'gor]* — កម្មករ
- farmer — *[gak-se-gor]* — កសិករ
- foreman — *[may-gaa]* — មេការ
- housewife — *[may-p'dteah]* — មេផ្ទះ
- model — *[daa-raa-moo-dael]* — តារាម៉ូដែល

Q: What's your job?
[neak tweu gaa-ngia ey?]
អ្នកធ្វើការងារអី?

A: I'm a teacher.
[k'nhom geu-jia gruu-bong-rian]
ខ្ញុំគឺជាគ្រូបង្រៀន

Work Activities

/sak-gam-m'piap gaa-ngia/

សកម្មភាពការងារ

- act — *[daeu-dtua]* — ដើរតួ
- assemble — *[pgum]/[dom-laeung]* — ផ្គុំ , តំឡើង
- build/construct — *[saang-song]* — សាងសង់
- clean — *[som-aat]* — សំអាត
- cook — *[tweu-m'hoob]* — ធ្វើម្ហូប
- deliver — *[banh-juun]* — បញ្ជូន
- design — *[raj-j'naa]* — រចនា
- draw — *[guu]* — គូរ
- drive — *[baeuk-bor]* — បើកបរ
- guard — *[yiam]* — យាម
- plant — *[dam]* — ដាំ
- pain — *[liab]* — លាប

- play   *[layng]*   លេង
- sell   *[luak]*   លក់
- serve   *[bom-raeu]*   បំរើ
- repair/fix   *[juas-jul]*   ជួសជុល
- sing   *[jriang]*   ច្រៀង
- teach   *[bong-rian]*   បង្រៀន
- wash   *[liang]*   លាង
- translate   *[bork-brae]*   បកប្រែ

Office Tools
/som-pia-reak gaa-ri-yaa-lai/

សំភារៈការិយាល័យ

- paper   *[gror-das]*   ក្រដាស
- book   *[siaw-pouw]*   សៀវភៅ
- clip   *[dom-biat]*   តំបៀត
- fastener   *[dong-giab]*   ដង្កៀប
- rubber band *[gaow-suu]*   កៅស៊ូ
- stapple   *[groab-geb]*   ត្រាប់កិប
- stappler   *[bpror-dab geb]*   ប្រដាប់កិប
- folder   *[seu-mii]*   ស៊ីមី
- envelope   *[sraom-som-bot]*   ស្រោមសំបុត្រ
- catalog   *[gat-dtaa-lok]*   កាតាឡុក
- gluestick   *[gaaw]*   កាវ
- pen   *[bij]*   ប៊ិច

- pencil   *[kmaow-dai]*   ខ្មៅដៃ
- ruler   *[bon-dtoat]*   បន្ទាត់
- eraser   *[joa-lub]*   ជ័រលុប
- mechanical pencil   *[kmaow-dai joj]*   ខ្មៅដៃចុច
- scissor   *[gon-dtrai]*   កន្ត្រៃ
- puncher   *[bpror-dab-joh]*   ប្រដាប់ចោះ
- stamp   *[dtraa]*   ត្រា
- scotch tape   *[sgot]*   ស្កុត

The Construction Site and Equipment

/gaa-r'taan-som-nong/ ning /ub-p'gor/

ការដ្ឋានសំណង់ និង ឧបករណ៍

- worker · · · · · · · · · · *[gam-m'gor]* · · · · · · · · · កម្មករ
- machine · · · · · · · · · · *[maa-siin]* · · · · · · · · · ម៉ាស៊ីន
- warehouse · · · · · · · · · *[kleang]* · · · · · · · · · ឃ្លាំង
- offfice · · · · · · · · · · *[gaa-ri-yaa-lai]* · · · · · ការិយាល័យ
- wheelbarrow · · · · · · · · *[rer-dteh]* · · · · · · · · រទេះ
- shovel · · · · · · · · · · *[bpael]* · · · · · · · · · ប៉ែល
- hammer · · · · · · · · · · *[nher-nhua]* · · · · · · · ញញួរ
- pickax · · · · · · · · · · *[dtror-seh]* · · · · · · · · ត្រសេះ
- belt · · · · · · · · · · · *[ksae-gror-wat]* · · · · · ខ្សែក្រវ៉ាត់
- pneumatic drill · · · · · · *[daek-kuang]* · · · · · · ដែកខួង
- helmet · · · · · · · · · · *[muak]* · · · · · · · · · មួក
- blueprint · · · · · · · · · *[plong]* · · · · · · · · · ប្លង់

- trowel   *[slaab-bpria-baay-or]*   ស្លាបព្រាបាយអ
- tape measure   *[maet]*   ម៉ែត្រ
- level   *[maet-dtoek]*   ម៉ែត្រទឹក
- ladder   *[jun-daeu]*   ជណ្ដើរ
- scaffolding   *[run-dtia]*   រន្ធា
- dump truck   *[laan-jak-dey]*   ឡានចាក់ដី
- crane   *[laan-s'dtuuj]*   ឡានស្ទូច
- cement   *[sii-mong]*   ស៊ីម៉ង់ត៍
- wood/lumber   *[cheu]*   ឈើ
- plywood   *[kdaa-bon-dteah]*   ក្ដារបន្ទះ
- wire   *[ksae-pleung]*   ខ្សែភ្លើង
- brick   *[ed]*   ឥដ្ឋ
- pipe   *[bom-bpung-dtib]*   បំពង់ទីប
- mask   *[sraom-muk]*   ស្រោមមុខ

Highway, Street and Road
/plow/

ផ្លូវ

- tunnel — *[plow-graom-dey]* — ផ្លូវក្រោមដី
- bridge — *[s'bpian]* — ស្ពាន
- route sign — *[slaak-sanh-nhaa]* — ស្លាកសញ្ញា
- shoulder — *[jenh-jaeum-tnol]* — ចិញ្ចើមថ្នល់
- intersection — *[plow-bror-sob]* — ផ្លូវប្រសព្វ
- traffic light — *[pleung-s'dtop]* — ភ្លើងស្តុប
- corner — *[gaeng-plow]* — កែងផ្លូវ
- median — *[dtruung-plow]* — ទ្រូងផ្លូវ

Transportation
/gaa-doek-junh-juun/
ការដឹកជញ្ជូន

- train   *[rot-pleung]*   រថភ្លើង
- subway   *[rot-pleung-graom-dey]*   រថភ្លើងក្រោមដី
- bus   *[laan-grong]*   ឡានក្រុង
- car   *[laan / rot-yun]*   ឡាន/រថយន្ត
- truck   *[laan-tum]*   ឡានធំ
- motorbike   *[moo-dtoo]*   ម៉ូតូ
- bike   *[gong]*   កង់
- plane   *[yun-hoh]*   យន្តហោះ
- ship   *[g'bpal] / [nia-wia]*   កប៉ាល់/នាវា
- taxi   *[dtak-sii]*   តាក់ស៊ី
- boat   *[dtuuk]*   ទូក
- ferry   *[saa-laang]*   សាឡាង

- tuk tuk   *[dtok-dtok]*   តុ តុ
- moto taxi   *[moo-dtoo-dub]*   ម៉ូតូឌុប

Q: How do you go to school?
[neak dtouw saa-laa rer-biab-naa?]
អ្នកទៅសាលារៀបបណ្ណា?

A: I ride my motorbike.
[k'nhom jih moo-dtoo rer-bos-k'nhom]
ខ្ញុំជិះម៉ូតូរបស់ខ្ញុំ

Weather and Seasons
/aa-gas-tiat/ ning /rer-dow/
អាកាសធាតុ និង រដូវ

- sunny   *[sror-lah]*   ស្រឡះ
- cloudy   *[sror-dtum]*   ស្រទុំ
- foggy   *[joh-ab]*   ចុះអាប់
- humid   *[s'oh]*   ស្អុះ
- raining   *[pliang]*   ភ្លៀង
- drizzling *[rer-loem]*   រលឹម
- snowing   *[tleak-bpril]*   ធ្លាក់ព្រិល
- lightning *[playk-bon-dtoo]* ផ្លេកបន្ទោរ
- thunder   *[p'ger-loan]*   ផ្គរលាន់
- storm   *[p'juh]*   ព្យុះ
- hot   *[kdaow]*   ក្តៅ

- warm   *[kdaow-l'merm]*   ក្ដៅល្មម
- cold   *[dtror-jeak]*   ត្រជាក់
- cool   *[dtror-jeak-l'merm]*   ត្រជាក់ល្មម
- rainy season   *[rer-dow pliang]*   រដូវភ្លៀង
- dry season   *[rer-dow bprang]*   រដូវប្រាំង
- summer   *[rer-dow-kdaow]*   រដូវក្ដៅ
- winter   *[rer-dow-rer-ngia]*   រដូវរងារ
- fall/autumn   *[rer-dow-sloek-cheu-jruh]*   រដូវស្លឹកឈើជ្រុះ
- spring   *[rer-dow-sloek-cheu-loas]*   រដូវស្លឹកឈើលាស់

Note: In Cambodia, there are only two seasons: ***Rainy & Dry Season***

Good Luck

Sports
/gey-laa/

កីឡា

- football/soccer   *[bal-dtoat]*   បាល់ទាត់
- volleyball   *[bal-dteah]*   បាល់ទះ
- basketball   *[bal-boh]*   បាល់បោះ
- swimming   *[hael-dtoek]*   ហែលទឹក
- running   *[rut]*   រត់
- walking   *[daeu]*   ដើរ
- biking   *[jih-gong]*   ជិះកង់
- ping-pong   *[bpayng-bpong]*   ប៉េងប៉ុង
- golf   *[gool]*   ហ្គោល
- tennis   *[dten-niis]*   តិនីស
- darts   *[gub-bp'ruanh]*   គប់ព្រួញ
- karate   *[gaa-raa-dtay]*   ការ៉ាតេ
- billiard/pool   *[bii-yaa]*   ប៊ីយ៉ា
- weightlifting   *[leuk-dtum-ngun]*   លើកទំងន់
- boxing   *[bpror-dal]*   ប្រដាល់

- archery   *[banh-tnuu]*   បាញ់ធ្នូ
- frisbee   *[jaol-jaan]*   ចោលចាន

> **i.e.** I like playing football.
> *[k'nhom jool-jet layng bal-dtoat]*
> ខ្ញុំចូលចិត្តលេងបាល់ទាត់

Exercise Actions
/sak-gam-m'piap hat-bpraan/
សកម្មភាពហាត់ប្រាណ

walk   run   ride   sit down   stand up   fight

laugh   read   play   listen   cry   think

- hit   *[wiay]*   វាយ

- pitch/throw   *[jaol]*   ចោល

- catch   *[jab]*   ចាប់

- pass   *[hoj]*   ហុច

- kick   *[dtoat]*   ទាត់

- bounce   *[dtreh]*   គ្រេះ

- shoot   *[sut],[banh]*   ស៊ុត , បាញ់

- stretch   *[son-toeng]*   សន្ទឹង

- bend   *[bput-kluan]*   ពត់ខ្លួន

- walk   *[daeu]*   ដើរ

- run   *[rut]*   រត់

- hop   *[loot]*   លោត

- skip   *[ploh]*   ផ្លោះ
- jump   *[loot]*   លោត
- kneel   *[lut-jung-gung]*   លត់ជង្គង់
- sit   *[ong-guy]*   អង្គុយ
- lie down   *[dtum-rayt]*   ទម្រេត
- reach   *[choong]*   ឈោង
- swing   *[grer-waeing]*   គ្រវែង
- push   *[runh]*   រញ
- pull   *[dtianh]*   ទាញ
- lift   *[leuk]*   លើក
- swim   *[hael-dtoek]*   ហែលទឹក
- dive   *[muj]*   មុជ
- push-up   *[aa-wong]*   អារ៉ង់

Musical Instruments
/ub-p'gor playng/
ឧបករណ៍ភ្លេង

- violin   *[wii-yuu-long]*   វីយូឡុង
- guitar   *[gii-dtaa]*   ហ្គីតា
- harp   *[bpin]*   ពិណ
- flute   *[kloy]*   ខ្លុយ
- trumpet   *[dtrae]*   ត្រែ
- drum   *[sger]*   ស្គរ
- xylophone   *[rer-niat]*   រនាត
- piano   *[p'yaan-noo]*   ព្យាណូ

Good luck

Trees, Flowers and Plants
/daeum-cheu/, /pgaa/ ning /ruk-kak-jiat/
ដើមឈើ, ផ្កា និង រុក្ខជាតិ

- tree   *[daeum-cheu]*   ដើមឈើ
- leaf-leaves   *[sloek-cheu]*   ស្លឹកឈើ
- branch   *[maeik-cheu]*   មែកឈើ
- trunk   *[dtua-daeum-cheu]*   គុដើមឈើ
- bark   *[som-bork-cheu]*   សំបកឈើ
- root   *[reus-cheu]*   ឫសឈើ
- flower   *[pgaa]*   ផ្កា
- stem   *[daeum-pgaa]*   ដើមផ្កា
- thorn   *[bon-laa]*   បន្លា
- bulb   *[meum]*   មើម
- stamen   *[lum-orng-pgaa]*   លំអងផ្កា
- rose   *[pgaa-goo-laab]*   ផ្កាកុឡាប
- plant   *[ruk-kak-jiat]*   រុក្ខជាតិ
- grass   *[smaow]*   ស្មៅ
- vine   *[woa]*   វល្លិ៍

Good luck!

Environment
/bpak-ri-taan/
បរិស្ថាន

- forest/woods   *[bprey]*   ព្រៃ
- lake   *[boeng]*   បឹង
- meadow   *[wial-dtum-niab]*   វាលទំនាប
- mountain/hill   *[pnum]*   ភ្នំ
- valley   *[jrer-lerng-pnum]*   ជ្រលងភ្នំ
- waterfall   *[dtoek-jruah]*   ទឹកជ្រោះ
- field   *[wial]*   វាល
- brook   *[bpror-laay]*   ប្រឡាយ
- pond   *[srah]*   ស្រះ
- plateau   *[k'bpung-riab]*   ខ្ពង់រាប
- cliff   *[jom-naot-tmor]*   ចំណោតថ្ម
- stream   *[s'dtoeng]*   ស្ទឹង
- river   *[dtun-lay]*   ទន្លេ

- dam   *[dtum-nub]*   ទំនប់
- desert   *[wial-ksaj]*   វាលខ្សាច់
- jungle   *[bprey]*   ព្រៃ
- seashore   *[chnay-s'mot]*   ឆ្នេរសមុទ្រ
- sea   *[s'mot]*   សមុទ្រ
- ocean   *[mer-haa-s'mot]*   មហាសមុទ្រ
- island   *[goh]*   កោះ

Have a nice day!

Farm
/gak-se-taan/
កសិដ្ឋាន

- garden   *[suan]*   សួន
- scarecrow   *[dtiing-moong]*   ទីងមោង
- crop   *[dom-nam]*   ដំណាំ
- barn   *[jung-ruk]*   ជង្រុក
- stable   *[graol]*   ក្រោល
- hay   *[jom-baeung]*   ចំបើង
- pasture   *[wial-smaow]*   វាលស្មៅ
- farmer   *[gak-se-gor]*   កសិករ
- orchard   *[jom-gaa]*   ចំការ
- chicken coop   *[dtrung-moan]*   ទ្រុងមាន់
- fence   *[rer-borng]*   របង
- tractor   *[dtrak-dter]*   ត្រាក់ទ័រ
- pitchfork   *[daek-chaay]*   ដែកឆាយ

Animals

/sat-bpia-hak-nak/

សត្វពាហនៈ

- dog   *[chgae]*   ឆ្កែ
- cat   *[chmaa]*   ឆ្មា
- chicken   *[moan]*   មាន់
- duck   *[dtia]*   ទា
- cow   *[goo]*   គោ
- pig   *[jruuk]*   ជ្រូក
- buffalo   *[gror-bey]*   ក្របី
- goat   *[bper-bpaei]*   ពពែ
- sheep   *[jiam]*   ចៀម
- horse   *[seh]*   សេះ
- rat/mouse   *[gon-dol]*   កណ្ដុរ
- elephant   *[dom-rey]*   ដំរី

- rabbit   *[dtun-saay]*   ទន្សាយ
- tiger   *[klaa]*   ខ្លា
- lion   *[dtao]*   តោ
- monkey   *[swaa]*   ស្វា
- deer   *[kdan]*   ក្ដាន់
- donkey   *[lia]*   លា
- wolf   *[jor-jork]*   ចចក
- camel   *[ood]*   អូដ្ឋ
- bat   *[bpror-jiaw]*   ប្រជៀវ
- fish   *[dtrey]*   ត្រី
- tortoise   *[on-daeuk]*   អណ្ដើក
- turtle   *[gon-tiay]*   កន្ធាយ
- crocodile   *[gror-bpeu]*   ក្រពើ
- eel   *[on-dtung]*   អន្ទង់
- frog   *[gong-gaeb]*   កង្កែប
- snack   *[bpuas]*   ពស់
- lizard   *[bong-guay]*   បង្គុយ

Q: Do you have pets?
[neak mian sat-jenh-joem dtay?]
អ្នកមានសត្វចិញ្ចឹមទេ?

A: I have a dog and a cat.
[k'nhom mian chgae muay ning chmaa muay]
ខ្ញុំមានឆ្កែមួយ និង ឆ្មាមួយ

Birds
/bak-sey (sat-slaab)/
បក្សី (សត្វស្លាប)

- nest   *[som-bok]*   សំបុក
- egg   *[sut],[bperng]*   ស៊ុត , ពង
- wing   *[slaab]*   ស្លាប
- tail   *[gon-dtuy]*   កន្ទុយ
- feather   *[room]*   រោម
- beak/bill   *[jom-bpuh]*   ចំពុះ
- claw   *[gror-nham]*   ក្រញាំ
- crow   *[k'aek]*   ក្អែក
- seagull   *[rum-bpay]*   រំពែ
- sparrow   *[jaab]*   ចាប
- woodpecker   *[dtror-seh]*   ត្រសេះ
- swallow   *[dtror-jiak-gam]*   ត្រចៀកកាំ
- pigeon   *[bpriab]*   ព្រាប
- owl   *[dtii-dtuy]*   ទីទុយ
- hawk   *[klaeng]*   ខ្លែង

- eagle   *[in-dtrii]*   ឥន្ទ្រី
- parrot   *[sayk]*   សេក
- duck   *[dtia]*   ទា
- duckling   *[goon-dtia]*   កូនទា
- goose   *[g'ngaan]*   ក្ងាន
- swan   *[dtia-bprey]*   ទាព្រៃ
- flamingo   *[grial]*   ក្រៀល
- crane   *[gok]*   កុក
- stork   *[gror-saa]*   ក្រសា
- pelican   *[dtung]*   ទុង
- peacock   *[g'ngaok]*   ក្ងោក

Good Luck

Insects
/sat-l'et/

សត្វល្អិត

- fly   *[ruy]*   រុយ
- mosquito   *[muus]*   មូស
- flea   *[jai-chgae]*   ចៃឆ្កែ
- lightning bug *[om-bpil-om-bpaeik]* អំពិលអំពែក
- moth   *[kmoot]*   ខ្មូត
- dragonfly   *[gon-dtum-ruy]*   កន្ទុំរុយ
- spider   *[bpiing-bpiang]*   ពីងពាង
- ladybug   *[on-daeuk-mias]*   អណ្ដើកមាស
- wasp   *[ao-mal]*   ឪម៉ាល់
- tick   *[dtok-gae]*   ត្តុកកៃ
- bee   *[kmum]*   ឃ្មុំ
- butterfly   *[may-om-baow]*   មេអំបៅ
- grasshopper   *[gon-doob]*   កណ្ដូប

- ant   *[sror-maoj]*   ស្រមោច
- beetle   *[ganh-jae]*   កញ្ញែ
- termite   *[gon-dia]*   កណ្ដៀរ
- cockroach   *[gon-laat]*   កន្លាត
- scorpion   *[k'jaa-dom-rey]*   ខ្ជាដំរី
- centipede   *[k'aeb]*   ក្ដែប
- cricket   *[jong-ret]*   ចង្រិត

Sea Animals
/sat s'mot/
សត្វសមុទ្រ

- sea horse   *[seh-s'mot]*   សេះសមុទ្រ
- shark   *[dtrey-chlaam]*   ត្រីឆ្លាម
- whale   *[dtrey-baa-laen]*   ត្រីបាឡែន
- otter   *[pay]*   ភេ
- lobster   *[bong-gorng]*   បង្កង
- shrimp   *[bong-gia]*   បង្គា
- clam/mussel   *[lias]*   លាស
- shell   *[ngiaw]*   ងាវ
- oyster   *[grum]*   គ្រុំ
- snail   *[kjorng]*   ខ្យង
- squid/octopus   *[moek]*   មឹក
- crab   *[kdaam]*   ក្ដាម
- starfish   *[dtrey-pgaay]*   ត្រីផ្កាយ

Measurements and Shapes

/rung-woas/ ning /dtrung-dtriay/

រង្វាស់ និង ទ្រង់ទ្រាយ

- height   *[gom-bpuas]*   កំពស់
- width   *[dter-dtoeng]*   ទទឹង
- depth   *[jum-rouw]*   ជំរៅ
- length   *[bon-daoy]*   បណ្ដោយ
- distance   *[jom-ngaay]*   ចំងាយ
- meter   *[maet]*   ម៉ែត្រ
- line   *[bon-dtoat]*   បន្ទាត់
- square   *[gaa-ray]*   ការ៉េ
- side   *[jrung]*   ជ្រុង
- rectangle   *[jak-dto-gaon]*   ចតុកោណ

- triangle   *[dtrey-gaon]*   ត្រីកោណ
- apex   *[gom-bpuul]*   កំពូល
- base   *[baat]*   បាត
- circle   *[rung-wung]*   រង្វង់
- center   *[pjit]*   ផ្ចិត
- radius   *[gam]*   កាំ
- diameter   *[ong-got-pjit]*   អង្កត់ផ្ចិត
- circumference   *[bpak-ri-maat]*   បរិមាត្រ
- ellipse/oval   *[bperng-gror-bpeu]*   ពងក្រពើ
- percent   *[piak-roy]*   ភាគរយ

Preposition and Conjunction
/tneak/ ning /chnoab/
ឆ្នាក់ និង ឈ្នាប់

- in   *[knong]*   ក្នុង
- out   *[graow]*   ក្រៅ
- on   *[leu]*   លើ
- under   *[graom]*   ក្រោម
- behind/back   *[graoy]*   ក្រោយ
- near/nearby   *[jit],[kbae]*   ជិត , ក្បែរ
- between   *[rer-wiang]*   រវាង
- beside   *[graow-bpii]*   ក្រៅពី
- opposite   *[dtul-muk]*   ទល់មុខ
- in front of   *[kaang-muk]*   ខាងមុខ
- next to   *[nouw-kbae]*   នៅក្បែរ
- next   *[bon-dtoab]*   បន្ទាប់

- before   *[bpii-mun]/[mun-bpayl]*   ពីមុន / មុនពេល
- after   *[bon-dtoab-bpii]*   បន្ទាប់ពី
- then   *[bon-dtoab-merk]*   បន្ទាប់មក
- inside   *[kaang-knong]*   ខាងក្នុង
- outside   *[kaang-graow]*   ខាងក្រៅ
- above   *[kaang-leu]*   ខាងលើ
- below   *[kaang-graom]*   ខាងក្រោម
- if   *[baeu-sen]*   បើសិន
- but   *[bpon-dtae]*   ប៉ុន្តែ
- because   *[bpruah]*   ព្រោះ
- and   *[ning]*   និង
- so   *[dooj-chneh]*   ដូច្នេះ
- until   *[rer-hoot-dol]*   រហូតដល់
- with   *[jia-muay]*   ជាមួយ
- or   *[reu]*   រឺ
- for   *[som-rab]*   សំរាប់

Gook Luck!!!

Pronouns
/sob-p'niam/
សព្ទនាម

- i, me · · · · · · · · · · · · *[k'nhom]* · · · · · · · · · · · · ខ្ញុំ
- you · · · · · · · · · · · · *[neak]* · · · · · · · · · · · · អ្នក
- we, us · · · · · · · · · · · · *[yeung]* · · · · · · · · · · · · យើង
- they, them · · · · · · · · · · · · *[gay]* · · · · · · · · · · · · គេ
- he, him · · · · · · · · · · · · *[goat]* · · · · · · · · · · · · គាត់
- she, her · · · · · · · · · · · · *[goat]/[niang]* · · · · · · · · · · · · គាត់ , នាង
- it · · · · · · · · · · · · *[wia]* · · · · · · · · · · · · វា
- my, mine · · · · · · · · · · · · *[rer-bos k'nhom]* · · · · · · · · · · · · របស់ខ្ញុំ
- your, yours · · · · · · · · · · · · *[rer-bos neak]* · · · · · · · · · · · · របស់អ្នក
- our, ours · · · · · · · · · · · · *[rer-bos yeung]* · · · · · · · · · · · · របស់យើង
- their, theirs · · · · · · · · · · · · *[rer-bos gay]* · · · · · · · · · · · · របស់គេ
- his · · · · · · · · · · · · *[rer-bos goat]* · · · · · · · · · · · · របស់គាត់
- her, hers · · · · · · · · · · · · *[rer-bos goat]* · · · · · · · · · · · · របស់គាត់

- her, hers   *[rer-bos niang]*   របស់នាង
- its   *[rer-bos wia]*   របស់វា

> **i.e.** I love you.
> *[k'nhom sror-lanh neak]*
> ខ្ញុំស្រលាញ់អ្នក
>
> **i.e.** It's my motorbike.
> *[wia geu-jia moo-dtoo rer-bos-k'nhom]*
> វាគឺជាម៉ូតូរបស់ខ្ញុំ

Good Luck!!!

Tastes
/ruas-jiat/
រសជាតិ

- sweet   *[p'aem]*   ផ្អែម
- salty   *[bprai]*   ប្រៃ
- sour   *[juu]*   ជូរ
- bitter   *[l'wiing],[jot]* ល្វីង , ចត់
- plain   *[saab]*   សាប
- spicy   *[hoel]*   ហឹរ
- brackish   *[pliaw]*   ផ្លាវ
- tasteless *[ot-jiat]*   អត់ជាតិ

---

i.e. I like spicy food.
[k'nhom jool-jet m'hoob hoel]
ខ្ញុំចូលចិត្តម្ហូបហឹរ

i.e. I like sweet food.
[k'nhom jool-jet m'hoob p'aem]
ខ្ញុំចូលចិត្តម្ហូបផ្អែម

Direction
/dtis-daow/
ទិសដៅ

- north   *[dtis-kaang-jeung]*   ទិសខាងជើង
- south   *[dtis-kaang-tboong]*   ទិសខាងត្បូង
- west   *[dtis-kaang-lej]*   ទិសខាងលិច
- east   *[dtis-kaang-gaeut]*   ទិសខាងកើត
- northeast   *[dtis-ey-saan]*   ទិសឦសាន
- northwest   *[dtis-bpia-yoap]*   ទិសពាយព្យ
- southeast   *[dtis-aa-knay]*   ទិសអាគ្នេយ៍
- southwest   *[dtis-ni-r'dey]*   ទិសនិរតី
- left   *[chwayng]*   ឆ្វេង
- left side   *[kaang chwayng]*   ខាងឆ្វេង
- right   *[sdam]*   ស្ដាំ
- right side   *[kaang sdam]*   ខាងស្ដាំ
- turn left   *[bot chwayng]*   បត់ឆ្វេង
- turn right   *[bot sdam]*   បត់ស្ដាំ

- go straight   *[dtouw dtrong]*   ទៅត្រង់
- turn back   *[bot graoy]*   បត់ក្រោយ
- stop   *[chub]*   ឈប់
- here   *[dtii-nih]*   ទីនេះ
- there   *[dtii-nuh]*   ទីនោះ

---

i.e. Please go straight and turn left.
[soom dtouw dtrong haeuy bot sdam]
សូមទៅត្រង់ហើយបត់ស្ដាំ

i.e. Please stop here.
[soom chub dtii-nih]
សូមឈប់ទីនេះ

Time
/bpayl/
ពេល

- morning   *[bpayl-bproek]*   ពេលព្រឹក
- noon   *[bpayl-t'ngai-dtrong]*   ពេលថ្ងៃត្រង់
- afternoon   *[bpayl-rer-sial]*   ពេលរសៀល
- evening   *[bpayl-l'ngiaj]*   ពេលល្ងាច
- night   *[bpayl-yub]*   ពេលយប់
- midnight   *[bpeak-gon-daal-yub]*   ៣ក់កណ្ដាលយប់
- late night   *[yub-jrouw]*   យប់ជ្រៅ
- o'clock/hour   *[maong]*   ម៉ោង
- minute   *[nia-dtii]*   នាទី
- second   *[wi-nia-dtii]*   វិនាទី

<u>Classification of time in Cambodia:</u>

> 4 - 5 am   called   *[pleu]*   ភ្លឺ

> 4 - 10 am   called   *[bproek]*   ព្រឹក

> 11 am   called   *[t'ngai]*   ថ្ងៃ

> 12 pm   called   *[t'ngai-dtrong]*   ថ្ងៃត្រង់

> 1 - 4 pm   called   *[rer-sial]*   រសៀល

> 4 - 6 pm   called   *[l'ngiaj]*   ល្ងាច

> 7 pm - 3 am   called   *[yub]*   យប់

❖ 1 hour   *[muay-maong]*   មួយម៉ោង

❖ 1 o'clock   *[maong-muay]*   ម៉ោងមួយ

City and Provinces (Cambodia)

/dtii-grong/ ning /kaet/ (gam-bpu-jia)

ទីក្រុង និង ខេត្ត (កម្ពុជា)

Phnom Penh

- Phnom Penh *[pnum-bpinh]* ភ្នំពេញ
- Kandal *[gon-daal]* កណ្ដាល
- Kampong Speu *[gom-bpung-s'bpeu]* កំពង់ស្ពឺ
- Koh Kong *[goh-gong]* កោះកុង
- Preah Sihanouk *[bpreah-sey-ha-nuk]* ព្រះសីហានុ
- Takeo *[dtaa-gaew]* តាកែវ
- Kampot *[gom-bpert]* កំពត
- Kep *[gaeb]* កែប
- Kampong Chnang *[gom-bpung-chnang]* កំពង់ឆ្នាំង
- Pursat *[bpoo-sat]* ពោធិ៍សាត់
- Battambang *[bat-dom-borng]* បាត់ដំបង
- Pailin *[bpai-lin]* ប៉ៃលិន
- Banteay Meanchey *[bon-dtiay-mian-jei]* បន្ទាយមានជ័យ
- Kampong Cham *[gom-bpung-jaam]* កំពង់ចាម
- Tbong Khmum *[tboong-kmum]* ត្បូងឃ្មុំ

- Kampong Thom   *[gom-bpung-tum]*   កំពង់ធំ
- Siem Reap   *[siam-riab]*   សៀមរៀប
- Oudor Meanchey   *[u-dor-mian-jei]*   ឧត្តរមានជ័យ
- Preah Vihear   *[bpreah-wi-hia]*   ព្រះវិហារ
- Prey Veng   *[bprei-waeing]*   ព្រៃវែង
- Svay Rieng   *[swaay-riang]*   ស្វាយរៀង
- Stoeng Treng   *[s'dtoeng-dtraeng]*   ស្ទឹងត្រែង
- Kratie   *[gror-jeh]*   ក្រចេះ
- Mondulkiri   *[mun-dul-gii-rii]*   មណ្ឌលគីរី
- Ratanakiri   *[roat-t'nak-gii-rii]*   រតនគីរី

- ❖ city   *[dtii-grong]*   ទីក្រុង
- ❖ province   *[kaet]*   ខេត្ត
- ❖ village   *[puum]*   ភូមិ
- ❖ district   *[srok]*   ស្រុក
- ❖ commune   *[kum]*   ឃុំ
- ❖ state   *[road]*   រដ្ឋ

Good luck students!

Hobbies and Entertainment
/jom-nool-jet/ ning /gaa-gom-saan/
ចំណូលចិត្ត និង ការកំសាន្ត

- reading books   *[aan siaw-pouw]*   អានសៀវភៅ
- playing sports   *[layng gey-laa]*   លេងកីឡា
- doing exercise   *[hat-bpraan]*   ហាត់ប្រាណ
- playing music   *[layng playng]*   លេងភ្លេង
- listening to music   *[sdab playng]*   ស្តាប់ភ្លេង
- traveling   *[tweu-dom-naeu]*   ធ្វើដំណើរ
- swimming   *[hael-dtoek]*   ហែលទឹក
- shopping   *[daeu-psaa]*   ដើរផ្សារ
- fishing   *[s'dtuuj-dtrey]*   ស្ទូចត្រី
- watching movies   *[meul gon]*   មើលកុន
- watching TV   *[meul dtuu-rer-dtuas]*   មើលទូរទស្សន៍
- going to countryside   *[dtouw jun-n'bot]*   ទៅជនបទ
- going to beach   *[dtouw chnay-s'mot]*   ទៅឆ្នេរសមុទ្រ
- cooking   *[tweu-m'hoob]*   ធ្វើម្ហូប

- singing   *[jriang]*   ច្រៀង
- dancing   *[roam]*   រាំ

> **i.e.** I like dancing and reading books.
> *[k'nhom jool-jet roam ning aan siaw-pouw]*
> ខ្ញុំចូលចិត្តរាំ និង អានសៀវភៅ

Containers and Quantities
/kon-tay-ner/ ning /bpak-ri-maan/
ខន់ថេណ័រ និង បរិមាណ

- bag   *[sbaong] / [tong]*   ស្បោង / ថង់
- bar   *[dom]*   ដុំ
- bottle   *[dorb]*   ដប
- cup/glass   *[gaew] / [bpaeing]*   កែវ / ពែង
- box   *[bpror-ob]*   ប្រអប់
- bunch   *[baj] / [jong-gaom]*   បាច់ / ចង្កោម
- can   *[gom-bpong]*   កំប៉ុង
- carton   *[gaa-dtong]*   កាតុង
- dozen   *[loo]*   ឡូ
- jar   *[gaew] / [gror-lor]*   កែវ / ក្រឡ
- loaf/loaves   *[dom]*   ដុំ
- pack/package   *[ganh-job]*   កញ្ចប់
- roll   *[dom]*   ដុំ
- stick   *[daeum]*   ដើម
- liter   *[liit]*   លីត្រ

Good Luck!!!

Jewelry
/groeung-a-lang-gaa/

គ្រឿងអលង្កា

• gold	*[mias]*	មាស
• silver	*[bprak]*	ប្រាក់
• diamond	*[bpij]*	ពេជ្រ
• gem	*[tboong]*	ត្បូង
• pearl	*[guj]*	គុជ
• ring	*[jenh-jian]*	ចិញ្ចៀន
• earrings	*[gror-wel]*	ក្រវិល
• necklace	*[ksae-gor]*	ខ្សែក
• beads	*[ong-gam]*	អង្គាំ
• pin	*[gon-las]*	កន្លាស់
• watch	*[nia-le-gaa]*	នាឡិកា
• bracelet	*[ksae-dai]*	ខ្សែដៃ
• belt	*[ksae-gror-wat]*	ខ្សែក្រវ៉ាត់

Parts of a Car
/pnaek groeung-laan/
ផ្នែកគ្រឿងឡ្លាន

- headlight   *[jong-giang-muk]*   ចង្កៀងមុខ
- taillight   *[jong-giang-graoy]*   ចង្កៀងក្រោយ
- turn signal   *[pleung-sii-nhoo]*   ភ្លើងស៊ីញ៉
- tire   *[gaow-suu-gong]*   កៅស៊ូកង់
- hood   *[gum-rerb-muk]*   គម្របមុខ
- windshiled   *[ganh-jok-muk]*   កញ្ចក់មុខ
- rear windshiled   *[ganh-jok-graoy]*   កញ្ចក់ក្រោយ
- wipers   *[plet-dtoek]*   ផ្លិតទឹក
- antenna   *[ong-dtaen]*   អង់តែន
- plate   *[slaak-layk]*   ស្លាកលេខ
- sunroof   *[dom-bool]*   ដំបូល
- side mirror   *[ganh-jok-meul-graoy]*   កញ្ចក់មើលក្រោយ

- tailpipe   *[bom-bpung-sii-mang]*   បំពង់ស៊ីម៉ង
- transmission   *[bpror-ob-layk]*   ប្រអប់លេខ
- gas tank   *[tung-sang]*   ធុងសាំង
- spare tire   *[gong-saa-gua]*   កង់សាគួរ
- engine   *[maa-siin]*   ម៉ាស៊ីន
- spark plugs   *[buu-zii]*   ប៊ូស៊ី
- battery   *[aa-guy]*   អាគុយ
- speedometer   *[gong-dter]*   កុងទ័រ
- steering wheel   *[jong-goot]*   ចង្កូត
- air bag   *[bpoong-kjol]*   ពោងខ្យល់
- horn   *[sii-play]*   ស៊ីផ្លេ
- tape deck   *[maa-nhay]*   ម៉ាញ៉
- air conditioner   *[maa-siin-dtror-jeak]*   ម៉ាស៊ីនត្រជាក់
- emergency brake   *[frang-dai]*   ហ្វ្រាំងដៃ
- brake   *[frang-jeung]*   ហ្វ្រាំងជើង
- accelerator   *[gear]*   ហ្គ៊ែរ
- gearshift (auto)   *[jong-goeh-layk]*   ចង្កិះលេខ
- stickshift (manual)   *[jong-goeh-layk]*   ចង្កិះលេខ
- clutch   *[om-brii-yaa]*   អំប្រីយ៉ា
- door lock   *[sao twia]*   សោរទ្វារ
- door handle shoulder   *[dai twia]*   ដៃទ្វារ
- seat belt   *[ksae-gror-wat]*   ខ្សែក្រវ៉ាត់
- seat   *[gaow-ey]*   កៅអី

Study Courses
/muk-wi-jia soek-saa/

មុខវិជ្ជាសិក្សា

- mathematics   *[g'nit-wit-t'yia]*   គណិតវិទ្យា
- algebra   *[bpij-g'nit]*   ពិជគណិត
- geometry   *[ter-r'nii-miat]*   ធរណីមាត្រ
- biography   *[jii-weak-wit-t'yia]*   ជីវវិទ្យា
- chemistry   *[gii-mii-wit-t'yia]*   គីមីវិទ្យា
- physics   *[ruub-wit-t'yia]*   រូបវិទ្យា
- geography   *[puum-wit-t'yia]*   ភូមិវិទ្យា
- history   *[bpror-woat-wit-t'yia]*   ប្រវត្តិវិទ្យា
- foreign language   *[pia-saa bor-r'dtays]*   ភាសាបរទេស
- art   *[sil-l'bpak]*   សិល្បៈ
- computer   *[gom-p'juu-dter]*   កុំព្យូទ័រ
- economics   *[sayt-t'gej]*   សេដ្ឋកិច្ច

- finance   *[he-ranh-wat-to]*   ហិរញ្ញវត្ថុ
- bank   *[ter-nia-gia]*   ធនាគារ
- law   *[chbab]*   ច្បាប់
- information technology   *[bpoa-d'mian wit-t'yia]*   ពត៌មានវិទ្យា
- accounting   *[geak-n'nei]*   គណនេយ្យ
- business   *[bpia-nij-j'gam]*   ពាណិជ្ជកម្ម
- management   *[grub-grerng]*   គ្រប់គ្រង
- architecture   *[staa-bpat-t'yeak-gam]*   ស្ថាបត្យកម្ម
- auditing   *[sak-w'nak-gam]*   សវនកម្ម
- marketing   *[dtii-psaa]*   ទីផ្សារ
- design   *[raj-j'naa]*   រចនា

House and Furnitures
/p'dteah/ ning /groeung-song-haa-roem/
ផ្ទះ និង គ្រឿងសង្ហារិម

- lampost   *[bong-gool-pleung]*   បង្គោលភ្លើង
- mailbox   *[bpror-ob-som-bot]*   ប្រអប់សំបុត្រ
- step   *[jun-daeu]*   ជណ្ដើរ
- porch   *[hao-nang]*   ហោណាំង
- doorbell   *[gon-doeng-twia]*   កណ្ដឹងទ្វារ
- light   *[pleung]*   ភ្លើង
- window   *[bong-uaj]*   បង្អួច
- door   *[twia]*   ទ្វារ
- roof   *[dom-bool]*   ដំបូល
- antenna   *[ong-dtaen]*   អង់តែន
- chimney   *[bom-bpung-psaeng]*   បំពង់ផ្សែង
- gutter   *[dter-dtoek]*   ទរទឹក

- elevator   *[jun-daeu-yun]*   ជណ្ដើរយន្ត
- doorman   *[neak-baeuk-twia]*   អ្នកបើកទ្វារ
- room   *[bon-dtub]*   បន្ទប់
- bedroom   *[bon-dtub-gayng]*   បន្ទប់គេង
- bathroom   *[bon-dtub-dtoek]*   បន្ទប់ទឹក
- living room   *[bon-dtub dter-dtual-p'nhiaw]* បន្ទប់ទទួលភ្ញៀវ
- dining room   *[bon-dtub nham-baay]*   បន្ទប់ញ៉ាំបាយ
- kitchen   *[jong-graan-baay]*   ចង្ក្រានបាយ
- swimming pool   *[aang hael-dtoek]*   អាងហែលទឹក
- parking place   *[gon-laeng jort-laan]*   កន្លែងចតឡាន
- balcony   *[yor]*   យ៉
- table   *[dtok]*   តុ
- cabinet   *[dtuu]*   ទូ
- chair   *[gaow-ey]*   កៅអី
- sofa   *[saa-long]*   សាឡុង
- bed   *[graei]*   គ្រែ
- air conditioner   *[maa-siin dtror-jeak]*   ម៉ាស៊ីនត្រជាក់
- refrigerator   *[dtuu-dtoek-gork]*   ទូទឹកកក
- fan   *[gong-haa]*   កង្ហា
- television   *[dtuu-rer-dtuas]*   ទូរទស្សន៍

Other Vocabulary
/bpiak psayng-dtiat/
ពាក្យផ្សេងទៀត

A

- about [om-bpii] អំពី
- abroad [bror-dtays graow] ប្រទេសក្រៅ
- absent [ak-woat-dt'mian] អវត្តមាន
- absolutely [bpit-braa-god-haeuy] ពិតប្រាកដហើយ
- accident [gruah-tnak] គ្រោះថ្នាក់
- activity [sak-gam-m'piap] សកម្មភាព
- afraid [klaaj] ខ្លាច
- after [bon-dtoab-bpii] បន្ទាប់ពី
- again [mdorng-dtiat] ម្ដងទៀត
- agreement [gej-bprerm-bpriang] កិច្ចព្រមព្រៀង
- all [dteang-os] ទាំងអស់
- already [ruaj-haeuy] រួចហើយ
- always [dtaeng-dtae] តែងតែ
- am/is/are [geu-jia] គឺជា
- amazing [os-jaa] អស្ចារ្យ
- and [ning] និង
- answer (n) [jom-laeuy] ចំលើយ
- answer (v) [chlaeuy] ឆ្លើយ

- area   *[dom-bon]*   តំបន់
- around   *[bror-maan]*   ប្រមាណ
- arrive   *[dol]*   ដល់
- ask   *[sua]*   សួរ
- as well   *[porng-dae]*   ផងដែរ
- at   *[nouw-ae]*   នៅឯ
- available   *[aaj-dtouw-ruaj]*   អាចទៅរួច

B

- backpack   *[gaa-boob-s'bpiay]*   កាបូបស្ពាយ
- bankrupt   *[ksai-tun]*   ក្ស័យធុន
- bathroom   *[bon-dtub dtoek]*   បន្ទប់ទឹក
- beach   *[chnay s'mot]*   ឆ្នេរសមុទ្រ
- because   *[bpii-bpruah]*   ពីព្រោះ
- before   *[bpii-mun]*   ពីមុន
- believe   *[joeu]*   ជឿ
- better   *[bror-saeu]*   ប្រសើរ
- big   *[tum]*   ធំ
- bill   *[wi-gay-bat]*   វិក័យបត្រ
- birthday   *[t'ngai kuab-gom-naeut]* ថ្ងៃខួបកំណើត
- body   *[riang-gaay]*   រាងកាយ
- book (n)   *[siaw-pouw]*   សៀវភៅ
- book (v)   *[gok]*   កក់
- borrow   *[kjey]*   ខ្ជី

- both   *[dteang-bpii]*   ទាំងពីរ
- breakfast   *[aa-haa bpayl-bproek]*   អាហារពេលព្រឹក
- bright   *[pleu]*   ភ្លឺ
- broken   *[kooj]*   ខូច
- brush   *[dos]*   ដុស
- burn   *[dot]*   ដុត
- business   *[aa-jii-w'gam]*   អាជីវកម្ម
- but   *[bpon-dtae]*   ប៉ុន្តែ
- buy   *[dtinh]*   ទិញ
- by   *[daoy]*   ដោយ

C

- can   *[aaj]*   អាច
- card   *[gaat]*   កាត
- ceremony   *[bpi-tii-bon]*   ពិធីបុណ្យ
- change   *[pdoo]*   ប្ដូរ
- check   *[bpi-nit]*   ពិនិត្យ
- choice   *[jum-reus]*   ជំរើស
- cigarette   *[baa-rey]*   បារី
- cinema   *[roong-gon]*   រោងកុន
- clean (adj)   *[s'aat]*   ស្អាត
- clean (v)   *[som-aat]*   សំអាត
- come   *[merk]*   មក
- company   *[grom-hun]*   ក្រុមហ៊ុន

- condition   *[leak-kan]*   លក្ខខ័ណ្ឌ
- contact   *[dteak-dterng]*   ទាក់ទង
- cook (n)   *[jong-pouw]*   ចុងភៅ
- cook (v)   *[tweu-m'hoob]*   ធ្វើម្ហូប
- copy   *[tort-jom-lorng]*   ថតចំលង
- counter   *[banh-jer]*   បញ្ជរ
- country   *[bror-dtays]*   ប្រទេស
- countryside   *[jun-bot]*   ជនបទ
- create   *[bong-gaeut]*   បង្កើត
- credit   *[in-n'dtian]*   ឥណទាន
- crowd   *[foong-mer-nus]*   ហ្វូងមនុស្ស
- curly   *[ruanh]*   រួញ
- cut   *[gat]*   កាត់

D

- daily   *[bror-jam t'ngai]*   ប្រចាំថ្ងៃ
- dance   *[roam]*   រាំ
- debt   *[bom-nol]*   បំណុល
- decide   *[som-raj-jet]*   សំរេចចិត្ត
- delicious   *[ch'nganh]*   ឆ្ងាញ់
- deposit   *[gok]*   កក់
- diesel   *[maa-suut]*   ម៉ាស៊ីត
- difference   *[psayng-knia]*   ផ្សេងគ្នា
- difficult   *[bpi-baak]*   ពិបាក

- dinner   *[aa-haa bpayl-l'ngiaj]*   អាហារពេលល្ងាច
- directly   *[daoy-p'dtoal]*   ដោយផ្ទាល់
- direction   *[dtis-daow]*   ទិសដៅ
- dirty   *[gor-kwok]*   កខ្វក់
- discount   *[banh-joh-dom-lai]*   បញ្ចុះតំលៃ
- distance   *[jom-ngaay]*   ចំងាយ
- do   *[tweu]*   ធ្វើ
- document   *[aek-g'saa]*   ឯកសារ
- dozen   *[loo]*   ឡូ
- drink (n)   *[pays-s'jeak]*   ភេសជ្ជៈ
- drink (v)   *[poek] / [nham]*   ផឹក / ញ៉ាំ
- dry   *[s'nguat]*   ស្ងួត

E

- easy   *[srual]*   ស្រួល
- eat   *[nham]*   ញ៉ាំ
- electricity   *[ak-gis-nii (pleung)]*   អគ្គិសនី (ភ្លើង)
- emotion   *[aa-rom]*   អារម្មណ៍
- enough   *[grub-groan]*   គ្រប់គ្រាន់
- envelope   *[sraom-som-bot]*   ស្រោមសំបុត្រ
- especially   *[jia-bpi-ses]*   ជាពិសេស
- every body   *[dteang-os-knia]*   ទាំងអស់គ្នា
- exchange   *[pdoo]*   ប្ដូរ
- exercise   *[hat-braan]*   ហាត់ប្រាណ

- expensive   *[tlai]*   ថ្លៃ
- experience   *[bot-bpi-saot]*   បទពិសោធន៍
- explanation   *[gaa-bpun-yul]*   ការពន្យល់

F

- far   *[ch'ngaay]*   ឆ្ងាយ
- fast   *[loeun]*   លឿន
- fat   *[toat]*   ធាត់
- favorite   *[jom-nool-jet]*   ចំណូលចិត្ត
- fee   *[tlai chnual]*   ថ្លៃឈ្នួល
- few   *[bpii-bey]*   ពីរបី
- field   *[pnaek]*   ផ្នែក
- fill   *[bom-bpinh]*   បំពេញ
- find   *[rerk-keunh]*   រកឃើញ
- fine   *[sok-sab-baay]*   សុខសប្បាយ
- finish   *[job]*   ចប់
- fix   *[juas-jul]*   ជួសជុល
- flat tire   *[baek-gong]*   បែកកង់
- flight   *[jeung-hoh-haeu]*   ជើងហោះហើរ
- food   *[m'hoob] / [aa-haa]*   ម្ហូប / អាហារ
- for   *[som-rab] / [daeum-bey]* សំរាប់ / ដើម្បី
- foreign   *[bor-r'dtays]*   បរទេស
- forget   *[plij]*   ភ្លេច
- free   *[dtum-nay]*   ទំនេរ

- free   *[ot-git-luy]*   អត់គិតលុយ
- friend   *[mit-peak] / [bpuak-maak]*   មិត្តភក្តិ / ពួកម៉ាក
- from   *[bpii]*   ពី
- fry/fried   *[chaa] / [jian]*   ឆា / ចៀន
- full   *[bpinh]*   ពេញ
- full (eating) *[ch'aet]*   ឆ្អែត
- future   *[ak-naa-gut]*   អនាគត

G

- garbage   *[som-raam]*   សំរាម
- gasoline   *[sang]*   សាំង
- get   *[yerk] / [dter-dtual]*   យក / ទទួល
- get up   *[ngeub]*   ងើប
- gift   *[om-naoy]*   អំណោយ
- give   *[aoy]*   អោយ
- glass   *[gaew]*   កែវ
- go   *[dtouw]*   ទៅ
- gold   *[mias]*   មាស
- good   *[l'or]*   ល្អ
- goodbye   *[jum-riab-lia]/[lia-haeuy]*   ជំរាបលា/លាហើយ
- goods   *[dtum-ninh]*   ទំនិញ

H

- handsome   *[song-haa]*   សង្ហារ
- harm   *[gruah-tnak]*   គ្រោះថ្នាក់

- hate   *[s'ob]*   ស្អប់
- have/has   *[mian]*   មាន
- height   *[gom-bpuas]*   កំពស់
- hello   *[jum-riab-sua]/[sua-sdey]*   ជំរាបសួរ/សួស្តី
- here   *[dtii-nih]*   ទីនេះ
- holiday   *[t'ngai chub som-raak]*   ថ្ងៃឈប់សម្រាក
- hometown   *[srok-gom-naeut]*   ស្រុកកំណើត
- house / home   *[p'dteah]*   ផ្ទះ
- housework   *[gaa-ngia p'dteah]*   ការងារផ្ទះ
- how much?   *[bpon-maan]*   ប៉ុន្មាន?
- how many?   *[bpon-maan]*   ប៉ុន្មាន?
- human   *[mer-nus]*   មនុស្ស
- hungry   *[klian]*   ឃ្លាន

I

- important   *[som-kan]*   សំខាន់
- include   *[ruam banh-jool]*   រួមបញ្ចូល
- independent   *[aek-g'riaj]*   ឯករាជ្យ
- ingredient   *[groeung-p'som]*   គ្រឿងផ្សំ
- inside   *[kaang-knong]*   ខាងក្នុង
- insurance   *[tia-nia rab-rerng]*   ធានារ៉ាប់រង
- international   *[on-dtrak-jiat]*   អន្តរជាតិ
- interview   *[som-pias]*   សំភាសន៍
- introduce   *[nae-noam]*   ណែនាំ

- invite   *[anh-jeunh]*   អញ្ជើញ

J

- job   *[gaa-ngia]*   ការងារ
- join   *[jool-ruam]*   ចូលរួម

K

- keep   *[dtuk]*   ទុក
- key   *[goon-sao]*   កូនសោរ
- kid   *[kmayng]*   ក្មេង
- king   *[sdaj-bpros]*   ស្ដេចប្រុស
- know   *[doeng] / [jeh] / [sgoal]*   ដឹង / ចេះ / ស្គាល់

L

- labor   *[bpul-l'gam]*   ពលកម្ម
- language   *[pia-saa]*   ភាសា
- late   *[yeut]*   យឺត
- later   *[bpayl-graoy]*   ពេលក្រោយ
- less   *[dtej]*   តិច
- like   *[jool-jet]*   ចូលចិត្ត
- listen   *[sdab]*   ស្ដាប់
- little   *[dtej-dtuaj]*   តិចតួច
- live   *[ruas-nouw]*   រស់នៅ
- location   *[dtii-dtang]*   ទីតាំង
- lose   *[bat]*   បាត់
- love   *[sror-lanh]*   ស្រឡាញ់

- lovely   *[gua-aoy sror-lanh]*   គួរអោយស្រឡាញ់
- luck   *[som-naang]*   សំណាង
- lunch   *[aa-haa bpayl-t'ngai-dtrong]*   អាហារពេលថ្ងៃត្រង់

M

- maintain   *[tae-reak-saa]*   ថែរក្សា
- make   *[tweu]*   ធ្វើ
- makeup   *[pat-muk]*   ផាត់មុខ
- market   *[psaa]*   ផ្សារ
- match   *[gaa-bror-guat]*   ការប្រកួត
- matter   *[bpanh-haa]*   បញ្ហា
- maybe   *[bror-hael]*   ប្រហែល
- meal   *[aa-haa]*   អាហារ
- medicine   *[tnam]*   ថ្នាំ
- medium   *[mat-t'yum]/[gon-daal]*   មធ្យម/កណ្ដាល
- meet   *[juab]*   ជួប
- meeting   *[bror-jum]*   ប្រជុំ
- member   *[sak-maa-jik]*   សមាជិក
- model   *[moot]*   ម៉ូត
- money   *[luy]*   លុយ
- movie   *[gon]*   កុន
- much/many   *[jraeun]*   ច្រើន
- music   *[playng]*   ភ្លេង

N

- name card   *[niam-m'ban]*   នាមប័ណ្ណ
- narrow   *[jong-iat]*   ចង្អៀត
- national   *[jiat]*   ជាតិ
- nationality   *[jun-jiat]*   ជនជាតិ
- near   *[jit]*   ជិត
- need   *[dtrow-gaa]*   ត្រូវការ
- new   *[tmey]*   ថ្មី
- next   *[bon-dtoab]*   បន្ទាប់
- nice   *[sros-s'aat]*   ស្រស់ស្អាត
- no   *[ot-dtay]/[dtay]*   អត់ទេ , ទេ
- normal   *[toa-m'daa]*   ធម្មតា
- now   *[ey-low]*   ឥឡូវ
- nowadays   *[sob-t'ngai]*   សព្វថ្ងៃ

O

- occur   *[gaeut-laeung]*   កើតឡើង
- often   *[nhoek-nhoab]*   ញឹកញាប់
- oil   *[brayng]*   ប្រេង
- old   *[jas]*   ចាស់
- only   *[dtae-bpon-noh]*   តែប៉ុណ្ណោះ
- order   *[gom-mong]*   កុម្ម៉ង់
- other   *[psayng-dtiat]*   ផ្សេងទៀត
- outside   *[kaang-graow]*   ខាងក្រៅ

- own (adj)   *[p'dtoal kluan]*   ផ្ទាល់ខ្លួន

P

- pack   *[ganh-job]*   កញ្ចប់
- paint   *[liab]*   លាប
- passport   *[li-ket-chlorng-daen]* លិខិតឆ្លងដែន
- park   *[jort]*   ចត
- party   *[jub-liang]*   ជប់លាង
- pay   *[jaay]*   ចាយ
- pay back   *[sorng]*   សង
- peace   *[son-dte-piap]*   សន្តិភាព
- percentage   *[piak-roy]*   ភាគរយ
- petrol   *[sang]*   សាំង
- pharmacy   *[ao-sot-staan]*   ឱសថស្ថាន
- plan   *[gum-roong]*   គំរោង
- play   *[layng]*   លេង
- please   *[soom]*   សូម
- police   *[bpoo-liis]*   ប៉ូលីស
- polish   *[bpoo-lia]*   ប៉ូលា
- prefer   *[jool-jet]*   ចូលចិត្ត
- prepare   *[riab-jom]*   រៀបចំ
- present   *[om-naoy]*   អំណោយ
- price   *[dom-lai]*   តំលៃ
- problem   *[bpanh-haa]*   បញ្ហា

- product   *[pol-lit-dt'pol]*   ផលិតផល
- profit   *[jom-nenh]*   ចំណេញ
- put   *[dak]*   ដាក់

Q

- queen   *[sdaj-srey]*   ស្ដេចស្រី
- quiet   *[s'ngat]*   ស្ងាត់
- question   *[som-nua]*   សំនួរ

R

- rain   *[pliang]*   ភ្លៀង
- raise   *[dom-laeung]*   តំឡើង
- rate   *[at-dt'raa]*   អត្រា
- read   *[aan]*   អាន
- really…   *[bpit-jia]*   ពិតជា
- receive   *[dter-dtual]*   ទទួល
- receiver   *[neak dter-dtual]*   អ្នកទទួល
- recruit   *[jreus-reus]*   ជ្រើសរើស
- rent   *[jual]*   ជួល
- repaire   *[juas-jul]*   ជួសជុល
- resort   *[rum-m'nii-y'taan]*   មណីយដ្ឋាន
- responsibility   *[gaa-dter-dtual kos-dtrow]*   ការទទួលខុសត្រូវ
- rest   *[som-raak]*   សំរាក
- result   *[lit-dt'pol]*   លទ្ធផល
- rice   *[baay]*   បាយ

- ride   *[jih]*   ជិះ
- right   *[sit]*   សិទ្ធិ
- room   *[bon-dtub]*   បន្ទប់

S

- safe   *[so-wat-dt'piap]*   សុវត្ថិភាព
- salary   *[brak-kae]*   ប្រាក់ខែ
- same   *[dooj-knia]*   ដូចគ្នា
- sample   *[gum-ruu]*   គំរូ
- save   *[son-som]*   សន្សំ
- school   *[saa-laa]*   សាលា
- seat   *[gon-laeng-ong-guy]*   កន្លែងអង្គុយ
- second hand   *[jer-juh (muay-dtoek)]*   ជជុះ (មួយទឹក)
- see   *[keunh]*   ឃើញ
- sell   *[luak]*   លក់
- send   *[banh-juun] / [p'nhaeu]*   បញ្ជូន/ផ្ញើ
- sender   *[neak p'nhaeu]*   អ្នកផ្ញើ
- series   *[say-rii]*   សេរី
- shopping   *[daeu-psaa]*   ដើរផ្សារ
- short   *[kley]*   ខ្លី
- show   *[bong-haanh]*   បង្ហាញ
- silver   *[brak]*   ប្រាក់
- sing   *[jriang]*   ច្រៀង
- single room   *[bon-dtub kraei muay]*   បន្ទប់គ្រែមួយ
- sit   *[ong-guy]*   អង្គុយ

- size   *[dtum-hum]*   ទំហំ
- sleep   *[gayng]*   គេង
- small   *[dtooj]*   តូច
- smoke   *[juak]*   ជក់
- so   *[dooj-chneh]*   ដូច្នេះ
- social   *[song-gum]*   សង្គម
- some   *[klah]*   ខ្លះ
- something   *[a'wey]/[ey]*   អ្វី / អី
- sometime   *[juan-gaal] / [bpayl-klah]*   ជួនកាល / ពេលខ្លះ
- soon   *[chab-chab]*   ឆាប់ៗ
- sorry   *[som-dtoos]*   សុំទោស
- soup   *[sub] / [som-lor]*   ស៊ុប / សំលរ
- sure   *[braa-god]*   ប្រាកដ
- speak   *[ni-yiay]*   និយាយ
- stadium   *[s'dtaat]*   ស្តាត
- staff   *[buk-g'lik]*   បុគ្គលិក
- start   *[jab-pdaeum]*   ចាប់ផ្ដើម
- station   *[staan-nii]*   ស្ថានីយ៍
- stay   *[snak-nouw]*   ស្នាក់នៅ
- steal   *[luaj]*   លួច
- still   *[nouw-dtae]*   នៅតែ
- stop   *[chub]*   ឈប់
- story   *[roeung]*   រឿង
- student   *[ses]*   សិស្ស

- study | [rian] | រៀន
- such as | [dooj-jia] | ដូចជា
- sunny | [bpun-leu-t'ngai] | ពន្លឺថ្ងៃ
- supervisor | [neak grub-grerng] | អ្នកគ្រប់គ្រង
- swim | [hael-dtoek] | ហែលទឹក
- syndrom | [aa-gaa-rak jum-ngeu] | អាការៈជំងឺ

T

- take | [yerk] | យក
- take a bath | [nguut dtoek] | ងូតទឹក
- take a shower | [nguut dtoek] | ងូតទឹក
- tall | [k'bpuas] | ខ្ពស់
- teach | [bong-rian] | បង្រៀន
- tell | [brab] | ប្រាប់
- temple | [braa-saat] | ប្រាសាទ
- terrible | [gua-aoy-klaaj] | គួរអោយខ្លាច
- thank | [or-gun] | អរគុណ
- that | [nuh] | នោះ
- then | [bon-dtoab merk] | បន្ទាប់មក
- there | [dtii-nuh] | ទីនោះ
- these | [dteang-nih] | ទាំងនេះ
- think | [git] | គិត
- this | [nih] | នេះ
- those | [dteang-nuh] | ទាំងនោះ

- ticket   *[som-bot]*   សំបុត្រ
- together   *[jia-muay-knia]*   ជាមួយគ្នា
- traffic   *[jor-raa-jor]*   ចរាចរណ៍
- transfer   *[p'dtay]*   ផ្ទេរ
- trip   *[dom-naeu gom-saan]*   ដំណើរកំសាន្ត
- turn   *[bot]*   បត់
- transaction   *[brot-dte-bat-gaa]*   ប្រតិបត្តិការ
- transfer   *[banh-juun]*   បញ្ជូន
- transportation   *[gaa doek-junh-juun]*   ការដឹកជញ្ជូន
- try   *[p'jia-yiam]*   ព្យាយាម
- twin room   *[bon-dtub kraei bpii]*   បន្ទប់គ្រែពីរ

U

- until   *[rer-hoot-dol]*   រហូតដល់
- use   *[braeu]*   ប្រើ
- usually   *[toa-m'daa]*   ធម្មតា

V

- vegetable   *[bon-lae]*   បន្លែ
- vegetarian   *[buas]*   បួស
- vehicle   *[yian-jum-nih]*   យានជំនិះ
- victory   *[jei-jum-neah]*   ជ័យជំនះ

W

- wait   *[rung-jam]*   រង់ចាំ
- want   *[jong]*   ចង់

- warm   *[kdaow-un-un]*   ក្ដៅឧណ្ហៗ
- warranty   *[tia-nia]*   ធានា
- wash   *[liang]*   លាង
- watch (v) *[meul]*   មើល
- way   *[plow]*   ផ្លូវ
- wear   *[bpeak]*   ពាក់
- wedding   *[mung-gul-gaa]*   មង្គលការ
- weekend   *[jong-sab-daa]*   ចុងសប្ដាហ៍
- weight   *[dtum-ngun]*   ទំងន់
- welcome   *[swaa-gum]*   ស្វាគមន៍
- wide   *[dtuu-liay]*   ទូលាយ
- will   *[noeng]*   នឹង
- win   *[chneah]*   ឈ្នះ
- with   *[jia-muay]*   ជាមួយ
- withdraw   *[dork-luy]*   ដកលុយ
- without   *[ot-mian]*   អត់មាន
- work (n)   *[gaa-ngia]*   ការងារ
- work (v)   *[tweu-gaa]*   ធ្វើការ

Useful Phrases
/klia mian-bpror-yaoj/
ឃ្លាមានប្រយោជន៍

- How are you doing?
  [neak sok-sab-baay dtay?]

  អ្នកសុខសប្បាយទេ?

- How is it going?
  [yaang mej dae?]

  យ៉ាងម៉េចដែរ?

- Not really good.
  [ot sow l'or dtay]

  អត់សូវល្អទេ

- I don't feel well.
  [k'nhom ot srual-kluan dtay]

  ខ្ញុំអត់ស្រួលខ្លួនទេ

- I'm sick.
  [k'nhom cheu]

  ខ្ញុំឈឺ

- See you later.
  [juab knia bpayl-graoy]

  ជួបគ្នាពេលក្រោយ

- Long time no see.
  [kaan juab knia yuu-haeuy]

  ខានជួបគ្នាយូរហើយ

- Where is the bathroom?
  [bon-dtub-dtoek nouw-naa?]

  បន្ទប់ទឹកនៅណា?

- What is this?
  [ey-gay noeng?]

  អីគេហ្នឹង?

- Whose is this?
  [nih rer-bos neak-naa?]

នេះរបស់អ្នកណា?

- Are you home?
  [neak nouw p'dteah dtay?]

អ្នកនៅផ្ទះទេ?

- I'm not home.
  [k'nhom ot-nouw p'dteah dtay]

ខ្ញុំអត់នៅផ្ទះទេ

- Don't do it.
  [gom tweu wia]

កុំធ្វើវា

- Please speak slowly.
  [soom ni-yiay muay-muay]

សូមនិយាយមួយៗ

- Please say again.
  [soom ni-yiay mdorng-dtiat]

សូមនិយាយម្ដងទៀត

- What does this word mean?
  [bpiak nih mian-nei yaang-mej?]

ពាក្យនេះមានន័យយ៉ាងម៉េច?

- I don't understand.
  [k'nhom ot yul dtay]

ខ្ញុំអត់យល់ទេ

- Can you speak Khmer?
  [neak jeh ni-yiay pia-saa kmae dtay?]

អ្នកចេះនិយាយភាសាខ្មែរទេ?

- I love Cambodia.
  [k'nhom sror-lanh bror-dtays gam-bpu-jia]

ខ្ញុំស្រលាញ់ប្រទេសកម្ពុជា

- I like Khmer people.
  [k'nhom jool-jet bror-jia-jun kmae]

ខ្ញុំចូលចិត្តប្រជាជនខ្មែរ

- Are you married?　　　　　　　　អ្នករៀបការរនៅ?
  [neak riab-gaa nouw?]

- I'm married already.　　　　　　ខ្ញុំរៀបការហើយ
  [k'nhom riab-gaa haeuy]

- I'm single.　　　　　　　　　　ខ្ញុំនៅលីវ
  [k'nhom nouw-liiw]

- I'm divorced already.　　　　　ខ្ញុំលែងគ្នាហើយ
  [k'nhom laeing-knia haeuy]

- Can I have your address?　　　ខ្ញុំអាចសុំអាស័យដ្ឋានរបស់អ្នកបានទេ?
  [k'nhom aaj som aa-say-taan rer-bos-neak baan dtay?]

- Can I have your phone number?　ខ្ញុំអាចសុំលេខទូរស័ព្ទរបស់អ្នកបានទេ?
  [k'nhom aaj som layk-dtuu-r'sab rer-bos-neak baan dtay?]

- Here is my address.　　　　　នេះគឺជាអាស័យដ្ឋានរបស់ខ្ញុំ
  [nih geu-jia aa-say-taan rer-bos-k'nhom]

- Here is my phone number.　　នេះគឺជាលេខទូរស័ព្ទរបស់ខ្ញុំ
  [nih geu-jia layk-dtuu-r'sab rer-bos-k'nhom]

- I'm going back.　　　　　　ខ្ញុំនឹងត្រលប់ទៅវិញ
  [k'nhom noeng dtror-lob dtouw-winh]

- I'm coming back.　　　　　　ខ្ញុំនឹងត្រលប់មកវិញ
  [k'nhom noeng dtror-lob merk-winh]

- Does it taste good?　　　　ឆ្ងាញ់ទេ?
  [ch'nganh dtay?]

- I'm hungry.
  [k'nhom klian]
  ខ្ញុំឃ្លាន

- I'm thirsty.
  [k'nhom srayk-dtoek]
  ខ្ញុំស្រេកទឹក

- I'm tired/exhausted.
  [k'nhom os-gom-lang]
  ខ្ញុំអស់កំលាំង

- I'm sleepy.
  [k'nhom nger-nguy-gayng]
  ខ្ញុំងងុយគេង

- I have a headache.
  [k'nhom cheu-kbaal]
  ខ្ញុំឈឺក្បាល

- I have a stomachache.
  [k'nhom cheu-bpuah]
  ខ្ញុំឈឺពោះ

- I want to see a doctor.
  [k'nhom jong juab bpaeit]
  ខ្ញុំចង់ជួបពេទ្យ

- I want to buy some medicine.
  [k'nhom jong dtinh tnam]
  ខ្ញុំចង់ទិញថ្នាំ

- I'm lost.
  [k'nhom wung-wayng haeuy]
  ខ្ញុំវង្វេងហើយ

- Please turn on the air conditioner.
  [soom baeuk maa-siin-dtror-jeak]
  សូមបើកម៉ាស៊ីនត្រជាក់

- Please turn off the air conditioner.
  [soom bet maa-siin-dtror-jeak]
  សូមបិទម៉ាស៊ីនត្រជាក់

- I don't believe you.
  [k'nhom min joeu neak dtay]

  ខ្ញុំមិនជឿអ្នកទេ

- I'm joking.
  [k'nhom ni-yiay-layng]

  ខ្ញុំនិយាយលេង

- I'm not sure.
  [k'nhom ot chbas dtay]

  ខ្ញុំអត់ច្បាស់ទេ

- No problem.
  [ot bpanh-haa]

  អត់បញ្ហា

- I don't remember.
  [k'nhom ot jam dtay]

  ខ្ញុំអត់ចាំទេ

- Let's go.
  [dtoh dtouw]

  គោះទៅ

- No smoking.
  [haam juak-baa-rey]

  ហាមជក់បារី

- I'm confused.
  [k'nhom jror-lom]

  ខ្ញុំច្រឡំ

- Wait a minute.
  [jam muay-plaeit]

  ចាំមួយភ្លែត

- Good luck.
  [som-naang l'or]

  សំណាងល្អ

- Happy New Year.
  [sua-sdey chnam tmey]

  សួស្ដីឆ្នាំថ្មី

- Happy Birthday.   រីករាយថ្ងៃខួបកំណើត

  [riik-riay t'ngai-kuab-gom-naeut]

YOUTUBE LINK

(Sound Record)

Please go to youtube link below for sound record:

- **https://www.youtube.com/learncambodian**

or contact us via email below:

- **sreymom.hok@gmail.com**